A-Z BLACKBURN

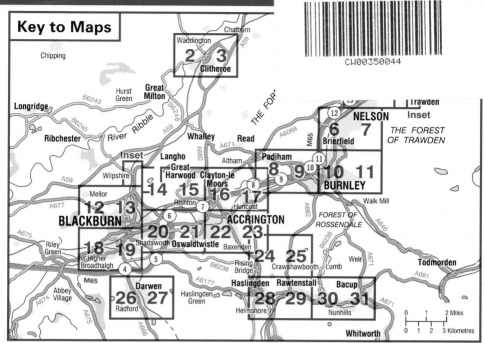

Key to Maps

Reference

Motorway M65	**Built-up Area** RYDAL RD.	**Police Station** ▲
A Road A679	**Local Authority Boundary**	**Post Office** ★
Proposed	**Postcode Boundary**	**Toilet** ▽
B Road B6234	**Map Continuation** 12	with Disabled Facilities
Dual Carriageway	**Car Park** (Selected) P	**Viewpoint** ※
One-way Street	**Church or Chapel** †	**Educational Establishment**
Traffic flow on A Roads is indicated by a heavy line on the driver's left.	**Fire Station** ■	**Hospital or Hospice**
Restricted Access	**House Numbers** (A & B Roads Only) 246 213	**Industrial Building**
Pedestrianized Road	**Hospital** H	**Leisure or Recreational Facility**
Track & Footpath	**Information Centre** i	**Place of Interest**
Residential Walkway	**National Grid Reference** 345	**Public Building**
Railway Station / Heritage Station / Level Crossing / Tunnel		**Shopping Centre or Market**
		Other Selected Buildings

Scale 1:19,000

0	¼	½ Mile
0	250	500	750 Metres	1 Kilometre

3⅓ inches (8.47 cm) to 1 mile
5.26 cm to 1 kilometre

Copyright of Geographers' A-Z Map Company Limited

Head Office :
Fairfield Road, Borough Green, Sevenoaks, Kent TN15 8PP
Tel: 01732 781000 (General Enquiries & Trade Sales)
Showrooms:
44 Gray's Inn Road, London WC1X 8HX
Tel: 020 7440 9500 (Retail Sales)
www.a-zmaps.co.uk

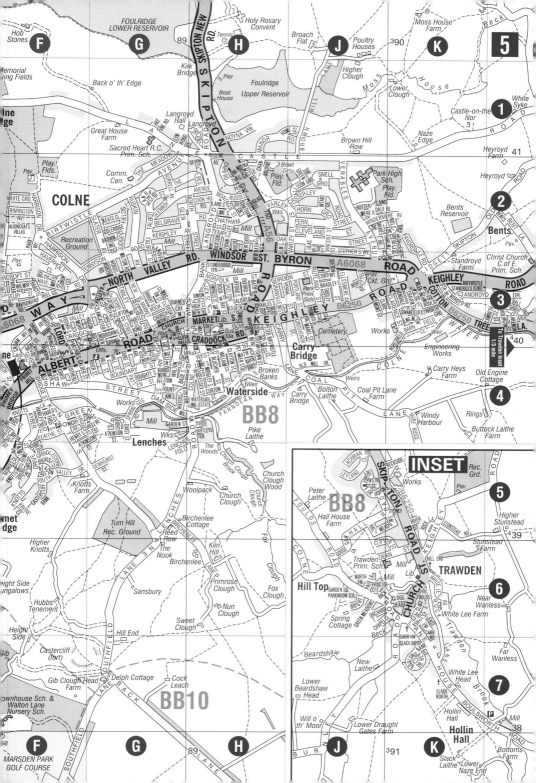

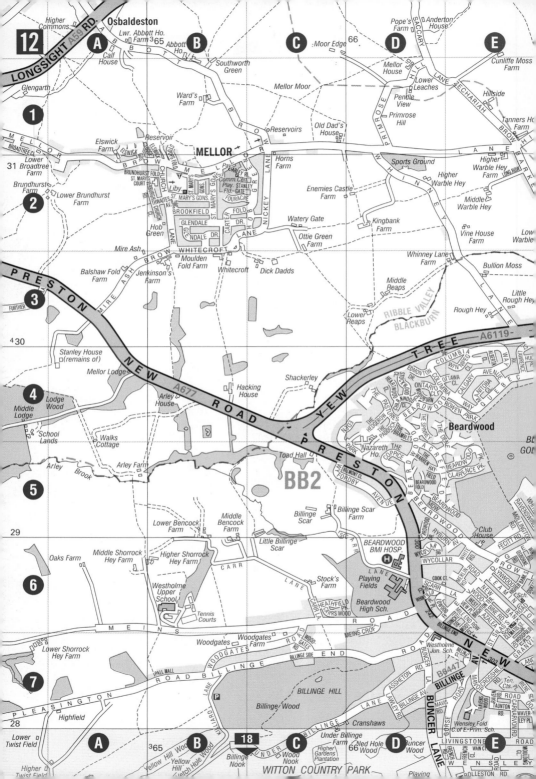

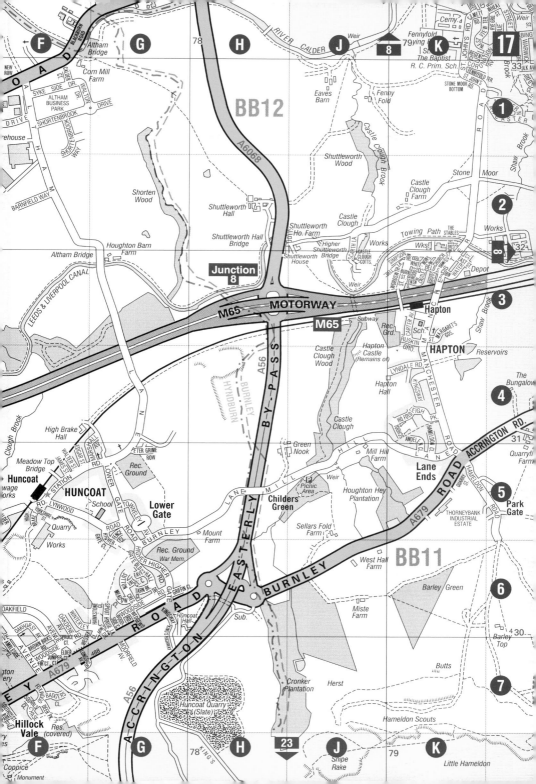

F **G** **H** **J** **K**

17

1
2
3
4
5
6
7

24

D.

Hillock Vale

Res. (covered)

PEEL PARK

Monument

Coppice

Cronker Plantation

Herst

Huncoat Quarry (Slate) 78

Hameldon Scout 79

Snipe Rake

Waterfall

Windy Harbour

Little Hameldon

HAMELDON COMMON

Great Slack

4 29

Great Hameldon

MOLESIDE MOOR

Moleside Plantation

BB11

Reservoirs

Arden Hall

ROAD

Brocklehurst Wood

Moleside End Farm

Res.

BURNLEY
HINDBURN

Owl Hall

New High Riley

SANDY LA.

Blueslate

28

Leafield Barn

High Riley

West Farm

New House Farm

Tag Clough

Lower Withams

HEIGHTS COTTAGE

Higher Riley Brox

Higher Hey

Lower Moor (ruin)

Higher Moor

Snipe Hole

Heights Farm

ROSSENDALE
HINDBURN

Clough Bottom

Warmden Brook

Weir

Laund

Weirs

Bank Top

Gallow Hall Cotts.

Gallow Hall Farm

Warmden Clough

Mitchell's House Reservoirs

KING'S

Meadow Top Farm

Top o' th' Meadows (Club House)

BAXENDEN GOLF COURSE

Black Moss

Withins

27

Higher Baxenden

Wooley Lane Farm

WOOLEY LANE

Black Moss Nook Farm

Hen Heads Farm

HIGHWAY

Withins Grove

Pen Moss Farm

Pen Moss

Lane Top

BB4

Cricket Ground

Poultry Houses

GOODSHAN

LONG LANE

BAXENDEN

Reservoir

Lower Baxenden

Weir

A56

Water

Stone Fold

Cross Edge Farm

Meadow Head Farm

Waterfalls

EDWARD

Pewit Hall

Higher Croft

26

F **G** **H** **24** **J** **K**

Sweetclough Farm

Wks.

78

Top of 79

Hill Top

A680

BLACKBURN ROAD

A56

A56

ACCRINGTON

EASTERLEY

BY-PASS

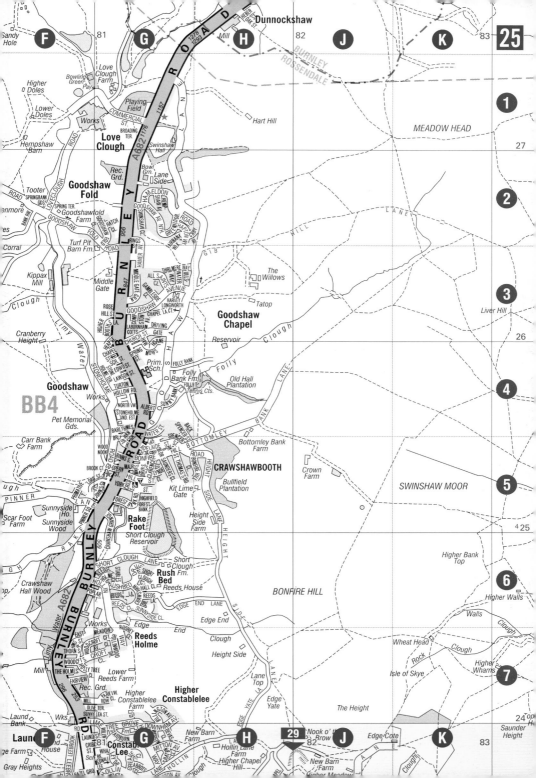

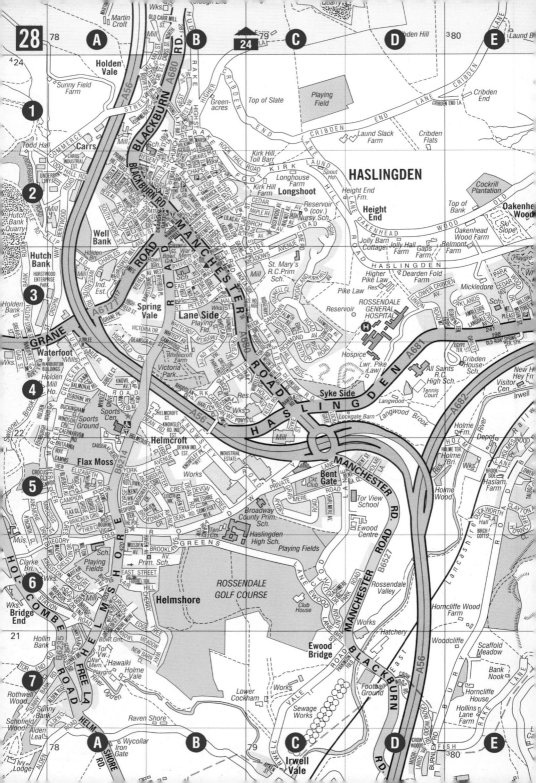

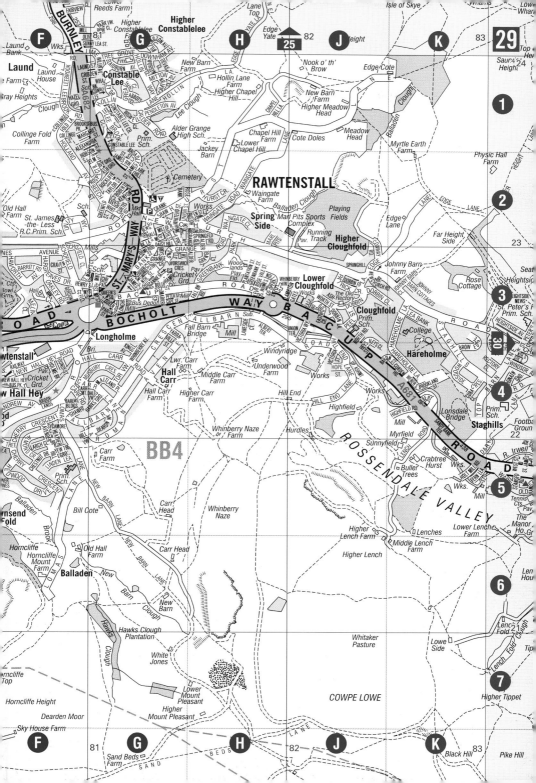

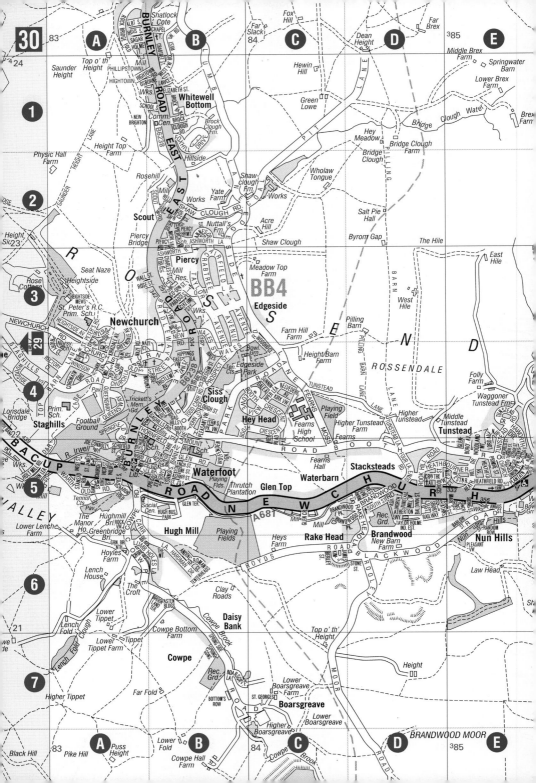

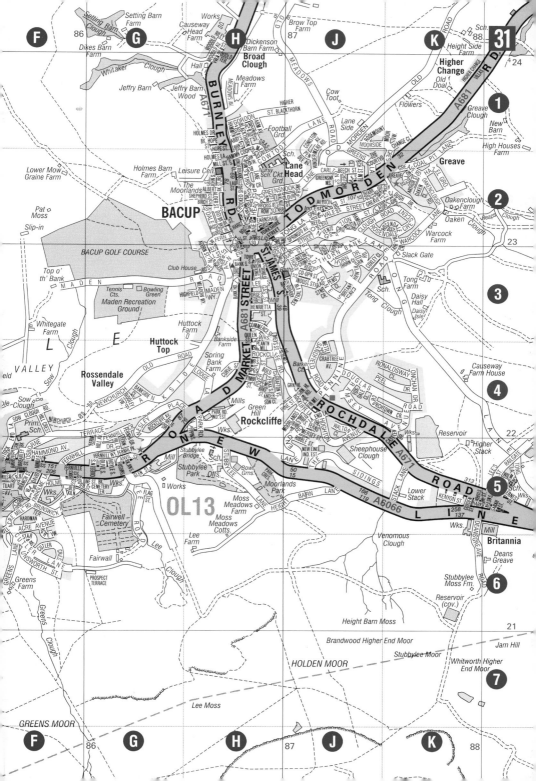

INDEX

Including Streets, Selected Subsidiary Addresses
and Selected Places of Interest.

HOW TO USE THIS INDEX

1. Each street name is followed by its Posttown or Postal Locality and then by its map reference; e.g. Abbey Cres. *Dar* —5G **27** is in the Nottingham Posttown and is to be found in square 5G on page **27**. The page number being shown in bold type. A strict alphabetical order is followed in which Av., Rd., St., etc. (though abbreviated) are read in full and as part of the street name; e.g. Alderford Clo. appears after Alder Bank. but before Alder St.

2. Streets and a selection of Subsidiary names not shown on the Maps, appear in the index in *Italics* with the thoroughfare to which it is connected shown in brackets; e.g. *Abbeyfield. Burn* —6C **10**(off Oxford Rd.)

3. An example of a selected place of interest is Bacup Golf Course —3F 31

GENERAL ABBREVIATIONS

All : Alley
App : Approach
Arc : Arcade
Av : Avenue
Bk : Back
Boulevd : Boulevard
Bri : Bridge
B'way : Broadway
Bldgs : Buildings
Bus : Business
Cvn : Caravan
Cen : Centre
Chu : Church
Chyd : Churchyard
Circ : Circle
Cir : Circus
Clo : Close
Comn : Common
Cotts : Cottages

Ct : Court
Cres : Crescent
Cft : Croft
Dri : Drive
E : East
Embkmt : Embankment
Est : Estate
Fld : Field
Gdns : Gardens
Gth : Garth
Ga : Gate
Gt : Great
Grn : Green
Gro : Grove
Ho : House
Ind : Industrial
Info : Information
Junct : Junction
La : Lane

Lit : Little
Lwr : Lower
Mc : Mac
Mnr : Manor
Mans : Mansions
Mkt : Market
Mdw : Meadow
M : Mews
Mt : Mount
Mus : Museum
N : North
Pal : Palace
Pde : Parade
Pk : Park
Pas : Passage
Pl : Place
Quad : Quadrant
Res : Residential
Ri : Rise

Rd : Road
Shop : Shopping
S : South
Sq : Square
Sta : Station
St : Street
Ter : Terrace
Trad : Trading
Up : Upper
Va : Vale
Vw : View
Vs : Villas
Vis : Visitors
Wlk : Walk
W : West
Yd : Yard

POSTTOWN AND POSTAL LOCALITY ABBREVIATIONS

Acc : Accrington
Alt : Altham
Alt W : Altham West
Bacup : Bacup
Barfd : Barrowford
Bas E : Bashall Eaves
Bax : Baxenden
B'brn : Blackburn
Black : Blacko
Brclf : Briercliffe
Brier : Brierfield
Burn T : Burnham Trad. Pk.
Burn : Burnley
Chat : Chatburn
Cher T : Cherry Tree
Chu : Church
Clay D : Clayton le Dale
Clay M : Clayton le Moors
Clith : Clitheroe
Cliv : Cliviger

Clough : Cloughfold
Col : Colne
Craw : Crawshawbooth
Dar : Darwen
Dunn : Dunnockshaw
E'hill : Eccleshill
Fence : Fence
Fen : Feniscowles
Good : Goodshaw
Gt Har : Great Harwood
Guide : Guide
Hap : Hapton
Has : Haslingden
Helm : Helmshore
Hodd : Hoddlesden
Holc : Holcombe
Hun : Huncoat
Hun I : Huncoat Ind. Est.
Int : Intack
Live : Livesey

Love : Loveclough
Lwr D : Lower Darwen
Mel : Mellor
Mel B : Mellor Brook
Nels : Nelson
New H : New Hall Hey
Newc : Newchurch
Osw : Oswaldtwistle
Pad : Padiham
Pick B : Pickup Bank
Pleas : Pleasington
Ram : Ramsbottom
Rams : Ramsgreave
Raw : Rawtenstall
Read : Read
Reed : Reedsholme
Rish : Rishton
Ris B : Rising Bridge
Ross : Rossendale
Sale : Salesbury

Sam : Samlesbury
S'stne : Simonstone
Stac : Stacksteads
S'fld : Southfield
Stone : Stonefold
Traw : Trawden
Tow F : Townsend Fold
Wadd : Waddington
Waterf : Waterfoot
Waters : Waterside
W Brad : West Bradford
Whal : Whalley
Whi I : Whitebirk Ind. Est.
Whit I : Whitewalls Ind. Est.
Whit B : Whitewell Bottom
Wilp : Wilpshire
W'gll : Withgill
Wors : Worsthorne

INDEX

Abbey Cres. *Dar* —5G **27**
Abbeyfield. Burn —6C **10**
(off Oxford Rd.)
Abbeyfield Ho. Burn —5K **9**
(off Harriet St.)
Abbey Pl. *Dar* —5G **27**
Abbey St. *Acc* —2D **22**
Abbey St. *Bacup* —1H **31**
Abbots Clo. *Ross* —1G **29**
Abbots Clough Av. *B'brn* —4D **20**
Abbotsford Av. *B'brn* —4G **19**
Abbott Brow. *Mel* —1A **12**
Abbott Clough Clo. *B'brn*
　　　　　　　—4D **20**
Abbot Wlk. *Clith* —5F **3**
Abel St. *Burn* —1B **10**
Aberdare Dri. *B'brn* —5H **13**
Aberdeen Dri. *B'brn* —1K **19**
Abingdon Rd. *Pad* —3C **8**
Abinger St. *Burn* —1D **10**
Abraham St. *Acc* —3C **22**
Abraham St. *B'brn* —3H **19**

Acacia Wlk. *B'brn* —3A **20**
(off Longton St.)
Accrington & District Golf Course.
　　　　　　　—1H 21
Accrington Easterley By-Pass. *Acc*
　　　　　　　—7G 17
Accrington Rd. *B'brn* —3A **20**
Accrington Rd. *Burn & Hap* —5K **17**
Accrington Stanley F.C. —7C 16
(Crown Ground)
Acorn Av. *Osw* —5A **22**
Acorn St. *Bacup* —3H **31**
Acorn St. *B'brn* —4A **20**
Acre Av. *Bacup* —5F **31**
Acrefield. *B'brn* —5D **12**
Acrefield. *Pad* —1B **8**
Acre Mill Rd. *Bacup* —5F **31**
Acresfield. *Col* —3K **5**
Acre St. *Brclf* —6H **7**
Acre St. *Burn* —1C **10**
Acre Vw. *Bacup* —5F **31**
Active Way. *Burn* —4A **10**
Adamson St. *Burn* —4H **9**

Adamson St. *Pad* —1B **8**
Ada St. *B'brn* —7F **13**
Ada St. *Burn* —1C **10**
Ada St. *Nels* —3F **7**
Addington St. *B'brn* —7K **13**
Addison Clo. *B'brn* —7F **13**
Addison St. *Acc* —1D **22**
Addison St. *B'brn* —7F **13**
(in two parts)
Adelaide La. *Acc* —3D **22**
Adelaide St. *Acc* —3D **22**
Adelaide St. *Burn* —4J **9**
Adelaide St. *Clay M* —6B **16**
Adelaide St. *Ross* —5G **25**
Adelaide Ter. *B'brn* —7F **13**
Adelphi St. *B'brn* —3B **10**
Adlington St. *Burn* —4B **10**
Admiral St. *Burn* —5C **10**
Agate St. *B'brn* —3J **13**
Agnes St. *B'brn* —2F **19**
Ailsa Rd. *B'brn* —5C **20**
Ainsdale Av. *Burn* —4D **6**
Ainsdale Dri. *Dar* —7F **27**

Ainslie Clo. *Gt Har* —2G **15**
Ainslie St. *Burn* —4H **9**
Ainsworth Mall. *B'brn* —7H **13**
(off Ainsworth St.)
Ainsworth St. *B'brn* —7H **13**
Aintree Dri. *Lwr D* —6K **19**
Airdrie Cres. *Acc* —6J **9**
Airey St. *Acc* —5E **22**
Aitken St. *Acc* —1D **22**
Aitken St. *Ram* —7C **28**
Alan Haigh Ct. *Col* —2G **5**
Alan Ramsbottom Way. *Gt Har*
　　　　　　　—3J **15**
Alaska St. *B'brn* —3H **19**
Albany Rd. *B'brn* —6E **12**
Albemarle Ct. *Clith* —5D **2**
Albemarle St. *Clith* —5D **2**
Alberta Clo. *B'brn* —4E **12**
Albert Pl. *Lwr D* —6J **19**
Albert Rd. *Col* —4F **5**
Albert Rd. *Ross* —4G **25**
Albert St. *Acc* —3D **22**
Albert St. *B'brn* —3F **19**

Albert St. *Brier* —4C **6**
Albert St. *Burn* —4C **10**
Albert St. *Chu* —2K **21**
Albert St. *Clay M* —5A **16**
Albert St. *Dar* —7F **27**
Albert St. *Gt Har* —3J **15**
Albert St. *Hodd* —4K **27**
Albert St. *Nels* —1E **6**
Albert St. *Osw* —4K **21**
Albert St. *Pad* —2B **8**
Albert St. *Rish* —6G **15**
Albert St. *Ross* —1A **30**
Albert Ter. *Bacup* —2H **31**
Albert Ter. *Barfd* —5A **4**
Albert Ter. *Clough* —3H **29**
Albion Ct. *Burn* —4C **10**
Albion Rd. *B'brn* —4G **19**
Albion St. *Acc* —2C **22**
Albion St. *Bacup* —2J **31**
Albion St. *B'brn* —4F **19**
Albion St. *Brier* —4C **6**
Albion St. *Burn* —6K **9**
Albion St. *Clith* —5F **3**
Albion St. *Nels* —1E **6**
Albion St. *Pad* —3C **8**
Albion St. *Stac* —5E **30**
Albion Ter. Burn —5A **10**
  (off Albion St.)
Alden Clo. *Helm* —7A **28**
Alden Ri. *Ross* —7A **28**
Alden Rd. *Ross* —7A **28**
Alder Av. *Ross* —3H **9**
Alder Bank. *B'brn* —1E **18**
Alder Bank. *Nels* —2D **6**
Alder Bank. *Ross* —2G **29**
Alderford Clo. *Clith* —6C **2**
Alder Gro. *Acc* —5F **17**
Alderney Clo. *B'brn* —4E **18**
Alder St. *Bacup* —2H **31**
Alder St. *B'brn* —5K **13**
Alder St. *Burn* —4H **9**
Alder St. *Ross* —2H **29**
Aldwych Pl. *B'brn* —2J **13**
Alexander Clo. *Acc* —7F **23**
Alexander Gro. *Burn* —4G **9**
Alexander St. *Nels* —6D **4**
Alexandra Clo. *Clay M* —4K **15**
Alexandra Ho. *B'brn* —5A **20**
Alexandra Pl. *Gt Har* —1J **15**
Alexandra Rd. *B'brn* —6F **13**
Alexandra Rd. *Dar* —3D **26**
Alexandra St. *Clay M* —3K **15**
Alexandra Vw. *Dar* —3D **26**
Alexandria St. *Ross* —1F **29**
Alfred St. *Dar* —7F **27**
Algar St. *Nels* —6C **4**
Alice St. *Acc* —1E **22**
Alice St. *Dar* —5E **26**
Alice St. *Osw* —5F **27**
Alkincoats Rd. *Col* —3F **5**
Alkincoats Vs. *Col* —2F **5**
Allan Critchlow Way. *Rish* —5G **15**
Allandale Gro. *Burn* —6G **11**
Allan St. *Bacup* —4H **31**
Allen Ct. Burn —2B **10**
  (off Allen St.)
Allendale St. *Burn* —4G **9**
Allendale St. *Col* —2J **5**
Allen St. *Burn* —2B **10**
  (in two parts)
Allerton Clo. *Dar* —3E **26**
Allerton Dri. *Burn* —4J **9**
Alleys Grn. *Clith* —4E **2**
Alleytroyds. *Chu* —3K **21**
Alliance St. *Acc* —7G **23**
Allison Gro. *Col* —2J **5**
All Saints Clo. *Burn* —3E **8**
All Saints Clo. *Osw* —4G **21**
All Saints Clo. *Ross* —3G **25**
Allsprings Clo. *Gt Har* —1J **15**
Allsprings Dri. *Gt Har* —1J **15**
Alma Pl. *Clith* —6D **2**
Alma St. *Bacup* —3H **31**
Alma St. *B'brn* —7G **13**
Alma St. *Clay M* —4A **16**
Alma St. *Pad* —1A **8**
Almond Cres. *Ross* —5F **29**
Almond St. *Dar* —5E **26**
Alnwick Clo. *Burn* —3K **9**
Alpha St. *Dar* —5F **27**

Alpha St. *Nels* —6C **4**
Alpine Clo. *Hodd* —4J **27**
Alpine Gro. *B'brn* —5E **18**
Altham Bus. Pk. *Alt* —1F **17**
Altham Cvn. Site. *Acc* —6D **16**
Altham Ind. Est. *Alt* —1E **16**
Altham La. *Alt & Acc* —1F **17**
Altham St. *Burn* —2B **10**
Altham St. *Pad* —2C **8**
Altom St. *B'brn* —6H **13**
Alwin St. *Burn* —5K **9**
Amber Av. *B'brn* —2J **13**
Amberley St. *B'brn* —3F **19**
Amberwood Dri. *B'brn* —4D **18**
Ambleside Av. *Ross* —3E **28**
Ambleside Clo. *Acc* —7F **17**
Ambleside Clo. *B'brn* —6K **13**
Ambleside Dri. *Dar* —2G **27**
Amelia St. *B'brn* —2A **20**
Amersham Gro. *Burn* —5E **6**
Amethyst St. *B'brn* —2H **13**
Anchor Av. *Dar* —1C **26**
Anchor Gro. *Dar* —1C **26**
Anchor Retail Pk. *Burn* —4A **10**
Anchor Rd. *Dar* —1C **26**
Anchor Raw —2G **29**
Andelen Clo. *Hap* —7B **8**
Anderson Clo. *Bacup* —4H **31**
Anderson Rd. *Wilp* —1C **14**
Anderton Clo. *Ross* —6B **30**
Andrew Av. *Ross* —4F **29**
Andrew Clo. *B'brn* —5E **18**
Andrew Rd. *Nels* —7E **4**
Andrew's Ct. *Burn* —6B **10**
Anemone Dri. *Has* —5A **28**
Angela St. *B'brn* —4E **18**
Angel Way. Col —3H **5**
  (off King St.)
Anglesey Av. *Burn* —3F **9**
Anglesey St. *B'brn* —5E **18**
Angle St. *Burn* —2B **10**
Anglian Clo. *Osw* —3H **21**
Angus St. *Bacup* —5E **30**
Annarly Fold. *Wors* —5H **11**
Anne Clo. *Burn* —5C **10**
Anne St. *Burn* —5C **10**
Annie St. *Acc* —1D **22**
Annie St. *Ross* —3G **29**
Ann St. *Barfd* —5A **4**
Ann St. *Brier* —3C **6**
Ann St. *Clay M* —4A **16**
Ansdell Ter. *B'brn* —4H **19**
Antigua Dri. *Lwr D* —7J **19**
Anvil St. *Bacup* —5G **31**
Anyon St. *Dar* —3F **27**
Appleby Clo. *Acc* —3E **22**
Appleby Dri. *Barfd* —4A **4**
Appleby St. *B'brn* —7K **13**
Appleby St. *Nels* —1E **6**
Apple Clo. *B'brn* —1F **19**
Apple Ct. *B'brn* —1F **19**
Applecross Dri. *Burn* —6F **11**
Apple St. *B'brn* —1F **19**
Apple Tree Way. *Osw* —3K **21**
Approach Way. *Burn* —7K **9**
Aqueduct Rd. *B'brn* —3F **19**
Arago St. *Acc* —1D **22**
Arbories Av. *Pad* —2A **8**
Arbory Dri. *Pad* —1A **8**
Arbour Dri. *B'brn* —7G **19**
Arbour St. *Bacup* —2J **31**
Arboury St. *Pad* —2A **8**
Arcade. Acc —3D **22**
  (off Church St.)
Arcadia. Col —3H **5**
  (off Market Pl.)
Arch St. *Burn* —4A **10**
Arch St. *Dar* —4E **26**
Ardwick St. *Burn* —1B **10**
Argyle St. *Acc* —2C **22**
Argyle St. *Col* —3G **5**
Argyle St. *Dar* —2D **26**
Arkwright Fold. *B'brn* —5F **19**
Arkwright St. *Burn* —3H **9**
Arley Gdns. *Burn* —3A **10**
Arley Ri. *Mel* —2B **12**
Arlington Rd. *Dar* —5D **26**
Arncliffe Av. *Acc* —4A **22**
Arncliffe Gro. *Barfd* —5A **4**
Arncliffe Rd. *Burn* —5F **11**
Arndale Shop. Cen. *Nels* —1F **7**

Arnold St. *Acc* —2D **22**
Arnside Clo. *Clay M* —5K **15**
Arnside Cres. *B'brn* —6B **18**
Arran Av. *B'brn* —6C **20**
Arran St. *Burn* —5J **9**
Arthur St. *Bacup* —2K **31**
Arthur St. *B'brn* —1F **19**
Arthur St. *Brier* —4C **6**
Arthur St. *Burn* —4K **9**
Arthur St. *Clay M* —4A **16**
Arthur St. *Gt Har* —1J **15**
Arthur St. *Nels* —7B **4**
Arthur Way. *B'brn* —1F **19**
Arundel St. *Rish* —5F **15**
Ascot Way. *Acc* —3E **22**
Ash Av. *Has* —2C **28**
Ashburnham Rd. *Col* —6D **4**
Ash Clo. *Rish* —7G **15**
Ash Ct. B'brn —5K **13**
  (off Plane St.)
Ashendean Vw. *Pad* —1C **8**
Ashfield Rd. *Burn* —4A **10**
Ashford St. *Nels* —2F **7**
Ash Gro. *Dar* —3F **27**
Ash Gro. Raw —2G **29**
  (off Prospect Rd.)
Ash La. *Gt Har* —1G **15**
Ashleigh St. *Dar* —7F **27**
Ashley St. *Burn* —3A **10**
Ashmere Clo. *Has* —6C **28**
Ash St. *Bacup* —2H **31**
Ash St. *B'brn* —5K **13**
Ash St. *Burn* —5C **10**
Ash St. *Gt Har* —1H **15**
Ash St. *Nels* —1G **7**
Ash St. *Osw* —4J **21**
Ash St. *Traw* —6K **5**
Ashton Dri. *Nels* —3F **7**
Ashton Ho. *Dar* —5F **27**
Ashton La. *Dar* —5E **26**
Ashton Rd. *Dar* —5F **27**
Ashtree Wlk. *Barfd* —6A **4**
Ashville Ter. *B'brn* —5G **19**
Ashworth Clo. *B'brn* —7F **13**
Ashworth La. *Ross* —2B **30**
Ashworth Rd. *Ross* —3B **30**
Ashworth St. *Acc* —6F **23**
Ashworth St. *Bacup* —2J **31**
Ashworth St. *Rish* —6G **15**
Ashworth St. *Ross* —3J **29**
Ashworth St. *Stac* —5F **31**
Ashworth St. *Waterf* —5B **30**
  (in two parts)
Ashworth Ter. *Bacup* —5D **30**
Ashworth Ter. *Dar* —5D **26**
Ashworth Ter. Ross —3B **30**
  (off Burnley Rd.)
Askrigg Clo. *Acc* —2E **22**
Aspen Dri. *Burn* —3D **10**
Aspen Fold. *Osw* —3G **21**
Aspen La. *Osw* —4G **21**
Aspinall Fold. *B'brn* —4H **13**
Aspley Gro. Traw —5K **5**
  (off Skipton Rd.)
Assheton Rd. *B'brn* —7D **12**
Asten Bldgs. *Ross* —6B **30**
Aster Chase. *Lwr D* —6K **19**
Astley Ga. *B'brn* —7H **13**
Astley St. *Dar* —6E **26**
Astley Ter. *Dar* —6E **26**
Aston Wlk. *B'brn* —5K **19**
Athens Vw. Burn —5D **10**
  (off Athletic St.)
Atherton St. *Bacup* —5D **30**
Atherton Way. *Bacup* —5D **30**
Athletic St. *Burn* —5D **10**
Athol St. *Nels* —1G **7**
Athol St. N. *Burn* —5J **9**
Athol St. S. *Burn* —5J **9**
Atkinson St. *Brclf* —6G **7**
Atkinson St. *Col* —5F **5**
  (in two parts)
Atlas Rd. *Dar* —4E **26**
Atlas St. *Clay M* —4A **16**
Atrium Ct. *Burn* —6C **10**
Auckland St. *Dar* —4F **27**
Audley Clo. Nels —1F **7**
  (off Audley Ct.)
Audley Ct. *Nels* —1F **7**
Audley La. *B'brn* —7K **13**

Audley Range. *B'brn* —1J **19**
Audley St. *B'brn* —7K **13**
Augusta St. *Acc* —4D **22**
Austin St. *Bacup* —3H **31**
  (off Union St.)
Austin St. *Burn* —5K **9**
Austwick Way. *Acc* —3F **23**
Avallon Way. *Dar* —4G **27**
Avalon Clo. *Burn* —3E **8**
Avebury Clo. *B'brn* —5K **19**
Avenue Pde. *Acc* —2D **22**
Avenue, The. *Burn* —7E **10**
Aviemore Clo. *B'brn* —1K **19**
Avon Clo. *B'brn* —2G **19**
Avon Ct. *Burn* —3J **9**
Avondale Av. *B'brn* —3D **20**
Avondale Av. *Burn* —3H **9**
Avondale Clo. *Dar* —3C **26**
Avondale M. *Col* —2C **26**
Avondale Rd. *Dar* —3C **26**
Avondale Rd. *Nels* —2E **6**
Avondale St. *Col* —3K **5**
Avonwood Clo. *Dar* —3C **26**
Aylesbury Wlk. *Burn* —6D **6**
Ayr Gro. *Burn* —7J **9**
Ayr Rd. *B'brn* —5C **20**
Ayrton St. *Col* —2H **5**
Aysgarth Dri. *Acc* —2E **22**
Aysgarth Dri. *Dar* —3C **26**
Azalea Rd. *B'brn* —6E **12**

B

Bk. Albert Rd. Col —4G **5**
  (off Albert Rd.)
Bk. Albert St. Pad —2B **8**
  (off Albert St.)
Bk. Altham St. *Pad* —2C **8**
Bk. Arthur St. *Clay M* —4A **16**
Bk. Atkinson St. *Col* —4F **5**
Bk. Beehive Ter. Ross —7B **24**
  (off Blackburn Rd.)
Bk. Bolton Rd. *Dar* —6F **27**
Bk. Bond St. Col —3G **5**
  (off Bond St.)
Bk. Boundry St. *Col* —4G **5**
Bk. Brown St. *Col* —4F **5**
Bk. Burnley Rd. *Acc* —2D **22**
Bk. Cambridge St. Col —4G **5**
  (off Cambridge St.)
Bk. Carr Mill St. *Ross* —7B **24**
Bk. Cemetery Ter. *Bacup* —5G **31**
Bk. Chapel St. Col —4G **5**
  (off Chapel St.)
Bk. Church St. *Barfd* —5A **4**
Bk. Church St. *Hap* —6B **8**
  (off Church St.)
Bk. Church St. *Newc* —3A **30**
Bk. Clayton St. Nels —7A **4**
  (off Clayton St.)
Bk. Colne Rd. Traw —6K **5**
  (off Colne Rd.)
Bk. Commons. *Clith* —4D **2**
Bk. Constablelee. *Ross* —1G **29**
Bk. Dover St. *Lwr D* —6J **19**
Bk. Duckworth St. *Dar* —4E **26**
Bk. Duke St. Col —4G **5**
  (off Duke St.)
Bk. Earl St. Col —4G **5**
  (off Earl St.)
Bk. East Bank. *Barfd* —4A **4**
Bk. Gisburn Rd. *Black* —1B **4**
Bk. Halifax Rd. *Brclf* —6H **7**
Bk. Hall St. Col —4G **5**
  (off Hall St.)
Bk. Harry St. *Barfd* —5A **4**
Bk. Hesketh St. Gt Har —2H **15**
  (off Blackburn Rd.)
Bk. Heys. *Osw* —5K **21**
Bk. Hill St. Brier —3A **6**
  (off Hill St.)
Bk. Hill St. Ross —5G **25**
  (off Hill St.)
Bk. Hope St. *Bacup* —1H **31**
Backhouse St. *Osw* —4K **21**
Bk. King St. *Col* —2C **22**
Back La. *Acc* —6F **23**
Back La. *Brclf & S'fld* —7G **5**
Back La. *Ross* —2G **29**
Back La. *Traw* —6J **5**
Back La. Side. *Has* —3B **28**

Bk. Leach St. *Col* —4F **5**
(off Leach St.)
Bk. Lee St. *Has* —3B **28**
Bk. Lord St. Ross —5G **25**
(off Burnley Rd.)
Bk. Lune St. *Col* —4H **5**
(off Lune St.)
Bk. Newchurch Rd. *Ross* —3J **29**
Bk. Oddfellows Ter. *Ross* —2B **30**
Bk. Ormerod St. Ross —3G **29**
(off Ormerod St.)
Bk. Parkinson St. *B'brn* —3E **18**
Bk. Peter St. *Barfd* —4A **4**
Bk. Queen St. *Gt Har* —2H **15**
Bk. Regent St. Has —2A **28**
(off Regent St.)
Bk. Rhoden Rd. *Osw* —6J **21**
Bk. Richard St. Brier —4C **6**
(off Richard St.)
Bk. Rings Row. Ross —3G **25**
(off Burnley Rd.)
Bk. Rushton St. Bacup —5G **31**
Bk. St John St. Bacup —2H **31**
Bk. Scotland Rd. Nels —1E **6**
(off Scotland St.)
Bk. Shuttleworth St. Pad —2B **8**
(off Shuttleworth St.)
Bk. Spencer St. Ross —4G **25**
Bk. Water St. *Acc* —2D **22**
Bk. Wellington St. *Acc* —3D **22**
Bk. Willow St. *Burn* —3K **9**
Bk. York St. *Clith* —5E **2**
Bk. York St. Ross —5G **25**
(off York St.)
Bk. Zion St. Col —4G **5**
(off Zion St.)
Bacon St. *Nels* —1F **7**
Bacup Golf Course. —3F 31
Bacup Natural History Society Mus.
(off Yorkshire St.)
—2H **31**
Bacup Rd. *Ross* —3G **29**
(in two parts)
Baden Ter. *B'brn* —4G **19**
Badgebrow. *Osw* —3K **21**
Badger Clo. *Pad* —1C **8**
Badgers Clo. *Acc* —7F **17**
Bailey St. *Burn* —5K **9**
Baker St. Bacup —2H **31**
Baker St. *B'brn* —4A **20**
Baker St. *Burn* —5K **9**
Baker St. *Nels* —6B **4**
Balaclava St. *B'brn* —6H **13**
Bala Clo. *B'brn* —6H **13**
Balderstone Clo. *Burn* —7E **6**
Balderstone La. *Burn* —1E **10**
Baldwin Hill. *Clith* —5D **2**
Baldwin Rd. *Clith* —5D **2**
Baldwins Bldgs. Ross —2G **29**
(off Bank St.)
Baldwins Hill. Burn —7E **6**
(off Marsden Rd.)
Baldwin St. Bacup —5D **30**
Baldwin St. *Barfd* —4A **4**
Baldwin St. *Burn* —2F **19**
Balfour Clo. *Brier* —4E **6**
Balfour St. *B'brn* —1F **19**
Balfour St. *Gt Har* —2J **15**
Ballam St. *Burn* —6B **10**
Ballantrae Rd. *B'brn* —5C **20**
Ballater St. *Burn* —7J **9**
Balle St. *Dar* —5E **26**
Ball Gro. Dri. *Col* —3K **5**
Balliol Clo. *Pad* —4C **8**
Ball St. *Nels* —7A **4**
Balmoral Av. *B'brn* —4C **14**
Balmoral Av. *Clith* —7C **2**
Balmoral Cres. *B'brn* —4E **20**
Balmoral Rd. *Dar* —7F **27**
Balmoral Rd. *Has* —4A **28**
Baltic Rd. *Ross* —5A **30**
Bamburgh Dri. *Burn* —3K **9**
Bamford Cres. *Acc* —4E **22**
Bamford St. *Burn* —4B **10**
Bamford St. *Nels* —1H **7**
Banastre St. *Acc* —6B **16**
Banbury Av. *Osw* —4H **21**
Banbury Clo. *Acc* —1B **22**
Banbury Clo. *B'brn* —5C **18**

Bancroft Rd. *Burn* —2D **10**
Bancroft St. *B'brn* —7J **13**
Bangor St. *B'brn* —5J **13**
Bank Bottom. *Dar* —4E **26**
Bankcroft Clo. *Pad* —2D **8**
Bankfield. *Burn* —4B **10**
Bankfield St. Bacup —5F **31**
Bankfield St. *Col* —4E **4**
Bankfield Ter. Bacup —5F **31**
Bank Fold. *Barfd* —3B **4**
Bank Hall Ter. Burn —3B **10**
(off Stafford St.)
Bank Hey Clo. *B'brn* —3K **13**
Bank Hey La. N. *B'brn* —1J **13**
Bank Hey La. S. *B'brn* —3K **13**
Bank Ho. La. Bacup —3H **31**
Bankhouse M. *Barfd* —4B **4**
Bankhouse Rd. *Nels* —7B **4**
Bankhouse St. *Barfd* —4B **4**
Bankhouse St. *Burn* —4A **10**
(in two parts)
Bank La. *B'brn* —4C **20**
Bank Mill St. *Has* —3B **28**
Bank Pde. *Burn* —4B **10**
Bank Row. Ross —2F **25**
Bankside. *B'brn* —3H **19**
Bankside Clo. Bacup —4G **31**
Bankside La. Bacup —4G **31**
Banks St. *Brclf* —6J **7**
Bank St. *Acc* —2D **22**
Bank St. Bacup —3H **31**
Bank St. *Brier* —3C **6**
Bank St. *Chu* —2K **21**
Bank St. *Dar* —4E **26**
Bank St. *Has* —2B **28**
Bank St. *Nels* —7B **4**
Bank St. *Pad* —1B **8**
Bank St. Ross —3G **29**
Bank St. *Traw* —7K **5**
Bank Top. *B'brn* —2F **19**
Bank Top. *Burn* —4B **10**
Bannister Clo. *Traw* —5J **5**
Bannister Ct. Nels —2F **7**
(off Kirk St.)
Bannister Way. Col —3H **5**
(off King St.)
Barbara Castle Way. *B'brn* —7H **13**
Barbon St. *Burn* —7D **6**
Barbon St. *Pad* —1B **8**
Barclay Av. *Burn* —6H **9**
Barcroft St. *Col* —3F **5**
(in two parts)
Barden Cft. Clay M —3A **16**
Barden La. *Burn* —6A **6**
Barden Rd. *Acc* —4A **22**
Barden St. *Burn* —1C **10**
Barden Vw. *Burn* —7B **6**
Bargee Clo. *B'brn* —2J **19**
Barilla St. *Chu* —2K **21**
Barker La. *Mel* —2E **12**
Barker St. *Clith* —4E **2**
Barley Bank St. *Dar* —3D **26**
Barley Clo. *B'brn* —7G **13**
Barleydale Rd. *Barfd* —3B **4**
Barley Gro. *Burn* —4D **10**
Barley Holme Rd. Ross —5G **25**
Barley Holme St. Ross —4G **25**
Barley La. *B'brn* —7G **13**
Barley St. *Pad* —3B **8**
Barley Way. *B'brn* —1G **19**
Barlow Fold. Ross —5E **28**
Barlows Bldgs. Ross —4F **29**
Barlow St. *Acc* —2B **22**
Barlow St. Bacup —5E **30**
Barlow St. Ross —2G **29**
Barmouth Cres. *B'brn* —3H **13**
Barnard Clo. *Osw* —4H **21**
Barn Cft. *Clith* —6D **2**
Barnes Av. *Ross* —3F **29**
Barnes Ct. *Burn* —6E **10**
Barnes Sq. Clay M —4A **16**
Barnes St. *Acc* —2D **22**
(in two parts)
Barnes St. *Burn* —4B **10**
Barnes St. *Chu* —2K **21**
Barnes St. Clay M —4B **16**
Barnes St. *Has* —1B **28**
Barnfield Av. *Burn* —4G **11**
Barnfield Bus. Cen. *Nels* —3G **7**

Barnfield Clo. *Col* —3K **5**
Barnfield St. *Acc* —3E **22**
Barnfield Way. *Alt* —2F **17**
Barn Gill Clo. *B'brn* —2J **19**
Barn Mdw. Cres. *Rish* —6H **15**
Barnmeadow La. *Gt Har* —2H **15**
Barnoldswick Rd. *Black* —1C **4**
Baron Fold. *Ross* —5A **30**
Barons Clo. *Lwr D* —6K **19**
Baron St. *Dar* —3C **26**
Baron St. Ross —4J **29**
Barons Way. *Lwr D* —7K **19**
Barracks Rd. *Burn* —4J **9**
Barrett St. *Burn* —2B **10**
Barritt Rd. Ross —3F **29**
Barrowdale Av. *Nels* —2G **7**
Barrowford Rd. *Col* —3D **4**
(in two parts)
Barrowford Rd. *Pad & Fence* —1A **6**
(in two parts)
Barry St. *Burn* —4H **9**
Bar St. *Burn* —2C **10**
Bartle St. *Burn* —5J **9**
Barton St. *B'brn* —7H **13**
Basil St. *Col* —4G **5**
Basnett St. *Burn* —1D **10**
Bastwell Rd. *B'brn* —5J **13**
Bates St. Clay M —4K **15**
Bath St. *Acc* —4C **22**
Bath St. Bacup —3J **31**
Bath St. *B'brn* —1F **19**
Bath St. *Col* —3H **5**
Bath St. *Dar* —4E **26**
Bath St. *Nels* —1G **7**
Bathurst St. *B'brn* —7G **13**
Bawdlands. *Clith* —5D **2**
Baxenden Golf Course. —5H 23
Bayard St. *Burn* —4F **9**
Bayley Fold. *Clith* —5E **2**
Bayley St. Clay M —4K **15**
Baynes St. *Hodd* —4K **27**
Bay St. *B'brn* —5K **13**
Baywood St. *B'brn* —5J **13**
Beachley Sq. *Burn* —3J **9**
Beacon Clo. *Col* —5F **5**
Beaconsfield St. *Acc* —3E **22**
Beaconsfield St. *Gt Har* —1H **15**
Beaconsfield St. *Has* —2B **28**
Beale Rd. *Nels* —1C **6**
Beardsworth St. *B'brn* —4K **13**
Beardwood. *B'brn* —5D **12**
Beardwood Brow. *B'brn* —5D **12**
Beardwood Dri. *B'brn* —5D **12**
Beardwood Fold. *B'brn* —5D **12**
Beardwood Mdw. *B'brn* —5D **12**
Beardwood Pk. *B'brn* —5E **12**
Bear St. *Burn* —4D **8**
Beatie St. *Brier* —3C **6**
Beatrice Av. *Burn* —3H **9**
Beatrice Pl. *B'brn* —5K **19**
Beatrice Ter. *Dar* —5F **27**
Beaufort St. *Nels* —2E **6**
Beaumaris Av. *B'brn* —4D **18**
Beaumaris Clo. *Has* —4B **28**
Beaver Clo. *Wilp* —3B **14**
Beaver Ter. Bacup —2J **31**
Beckenham Ct. *Burn* —6E **6**
Beckett St. *Dar* —5E **26**
Beckside Clo. *Traw* —5K **5**
Beck Way. *Col* —5E **4**
Beddington St. *Nels* —7A **4**
Bedford Clo. *Osw* —4H **21**
Bedford M. *Dar* —1D **26**
Bedford Pl. *Pad* —3C **8**
Bedfordshire Av. *Burn* —3G **9**
Bedford St. *Barfd* —1D **6**
Bedford St. *B'brn* —3F **19**
Bedford St. *Dar* —1D **26**
Bedford Ter. *Has* —5A **28**
Beech Av. *Dar* —3F **27**
Beech Bank. *Wadd* —1B **2**
Beech Clo. Bacup —2J **31**
Beech Clo. Clay D —2A **14**
Beech Clo. *Clith* —5D **2**
Beech Clo. *Osw* —6H **21**
Beech Clo. *Rish* —7G **15**
Beech Cres. Alt W —6B **16**
Beech Dri. *Has* —3C **28**
Beech Gro. *Acc* —4B **22**
Beech Gro. *Burn* —5D **6**

Beech Gro. *Chat* —1K **3**
Beech Gro. *Dar* —7G **19**
Beech Ind. Est. Bacup —2J **31**
(off Vale St.)
Beech Mt. *Rams* —1J **13**
Beech Mt. *Wadd* —1B **2**
Beech St. *Acc* —3D **22**
Beech St. Bacup —2J **31**
Beech St. *B'brn* —5K **13**
Beech St. Clay M —6A **16**
Beech St. *Clith* —5D **2**
Beech St. *Gt Har* —1H **15**
Beech St. *Nels* —7B **4**
Beech St. *Pad* —3C **8**
Beech St. Ross —2G **29**
Beechthorpe Av. *Wadd* —1B **2**
Beech Tree Clo. *Nels* —2F **7**
Beechwood Av. *Acc* —5E **22**
Beechwood Av. *Burn* —7K **9**
Beechwood Av. *Clith* —7E **2**
Beechwood Ct. *B'brn* —5J **13**
Beechwood Dri. *B'brn* —5B **18**
Beechwood M. *B'brn* —5K **19**
Beechwood Rd. *B'brn* —5K **13**
Beetham Ct. Clay M —5K **15**
Begonia St. *Dar* —4F **27**
Belfield Rd. *Acc* —3C **22**
Belford St. *Burn* —3A **10**
Belgarth Rd. *Acc* —1D **22**
Belgrave Clo. *B'brn* —2E **18**
Belgrave Ct. Burn —3A **10**
(off Belgrave St.)
Belgrave Rd. *Col* —2G **5**
Belgrave Rd. *Dar* —5D **26**
Belgrave Sq. *Dar* —4E **26**
Belgrave St. *Acc* —4A **24**
Belgrave St. *Brier* —4B **6**
Belgrave St. *Burn* —3A **10**
Belgrave St. *Nels* —1G **7**
Belle Vue La. *Wadd* —1B **2**
Belle Vue Pl. *Burn* —4K **9**
Belle Vue St. *B'brn* —7F **13**
Belle Vue St. *Burn* —4K **9**
Bell La. Clay M —3C **16**
Bells Arc. Burn —2B **10**
(off Ardwick St.)
Bell St. *Has* —2B **28**
Belmont Clo. *B'brn* —5D **12**
Belmont Gro. *Burn* —5E **10**
Belmont Rd. *Gt Har* —2G **15**
Belmont Ter. Barfd —5A **4**
(off Nora St.)
Belper St. *B'brn* —6K **13**
Belshaw Ct. *Burn* —7F **9**
Belvedere Av. *Ross* —4C **30**
Belvedere Rd. *B'brn* —1K **13**
Belvedere Rd. *Burn* —4C **10**
Bence St. *Col* —4H **5**
Bennett St. *Nels* —6C **4**
Bennington St. *B'brn* —2J **19**
Benson Ho. *B'brn* —1A **20**
Benson St. *B'brn* —1A **20**
Bentcliffe Gdns. *Acc* —4E **22**
Bent Gap La. *B'brn* —1F **19**
Bentgate Clo. *Has* —5D **28**
Bentham Av. *Burn* —6C **6**
Bentham Clo. *Burn* —4E **18**
Bentham Rd. *B'brn* —4E **18**
Bent La. *Col* —2K **5**
Bentley St. Bacup —2H **31**
Bentley St. *B'brn* —3B **20**
Bentley St. *Dar* —6G **27**
Bentley St. *Nels* —2E **6**
Bents. *Col* —2K **5**
Bent St. *B'brn* —1G **19**
Bent St. *Has* —5D **28**
Bent St. *Osw* —5J **21**
Bentwood Rd. *Has* —2A **28**
Beresford Rd. *B'brn* —5G **13**
Beresford St. *Burn* —5J **9**
Beresford St. *Nels* —3G **7**
Bergen St. *Burn* —5G **9**
Berkeley Clo. *Nels* —2F **7**
Berkeley Cres. *Pad* —1B **8**
Berkeley St. *Brier* —4B **6**
Berkeley St. *Nels* —3F **7**
Berkshire Av. *Burn* —4F **9**
Berkshire Clo. *Wilp* —1B **14**
Berridge Av. *Burn* —4F **9**
Berriedale Rd. *Nels* —7D **4**

Berry St. *Brier* —4C **6**
Berry St. *Burn* —6A **10**
Bertha St. *Acc* —2E **22**
Berwick Dri. *Burn* —3K **9**
Beryl Av. *Burn* —2J **13**
Bethel Rd. *B'brn* —5K **13**
Bethel St. *Col* —4E **4**
Bethesda Clo. *B'brn* —2G **19**
Bethesda St. *Burn* —4A **10**
Bevan Pl. *Nels* —6C **4**
Beverley Clo. *Clith* —7D **2**
Beverley Dri. *Clith* —7D **2**
Beverley Rd. *Black* —1A **4**
Beverley St. *B'brn* —4E **18**
Beverley St. *Burn* —5K **9**
Beverley Ter. *B'brn* —4E **18**
(off Broadway St.)
Bevington Clo. *Burn* —5K **9**
Bicknell St. *B'brn* —6H **13**
Billinge Av. *B'brn* —7D **12**
Billinge Clo. *B'brn* —7E **12**
Billinge End. *B'brn* —6D **12**
Billinge End Rd. *B'brn* —7B **12**
Billinge Side. *B'brn* —7C **12**
Billinge St. *B'brn* —1K **19**
Billinge Vw. *B'brn* —3C **18**
Billington Av. *Ross* —7G **25**
Billington Rd. *Burn* —7F **9**
Binns St. *Craw* —5G **25**
Birch Av. *Has* —2C **28**
Birchbank Gdns. *B'brn* —6J **13**
Birch Clo. *Acc* —5F **17**
Birch Cotts. *Ross* —5E **28**
Birch Cres. *Osw* —5A **22**
Birchenlee La. *Col* —5G **5**
Birch Hall Av. *Dar* —1C **26**
Birch St. *Acc* —2C **22**
Birch St. *Bacup* —2H **31**
Birch Ter. *Acc* —5E **22**
Birch Wlk. *B'brn* —4A **20**
Bird St. *Brier* —4C **6**
Birkbeck Way. *Burn* —1B **10**
Birkett Rd. *Acc* —1D **22**
Birley Pl. *Burn* —2B **10**
Birley St. *B'brn* —6J **13**
Birtwistle Av. *Col* —2F **5**
Birtwistle Fold. *Col* —3H **5**
Birtwistle Hyde Pk. *Col* —3G **5**
Birtwistle Standroyd Bungalows. *Col*
—3K **5**
Birtwistle St. *Acc* —3D **22**
Birtwistle St. *Gt Har* —2G **15**
Bisham Clo. *Dar* —5G **27**
Bishopdale Clo. *B'brn* —6A **18**
Bishopstone Clo. *B'brn* —5K **19**
Bishop St. *Acc* —3D **22**
Bishop St. *Burn* —1C **10**
Bishop St. *Nels* —1E **6**
Bispham Rd. *Nels* —3F **7**
Bivel St. *Burn* —4J **9**
Black Abbey St. *Acc* —3D **22**
Blackamoor Rd. *Guide* —6K **19**
Blackburn Cathedral. —1H **19**
Blackburn Golf Course. —5E **12**
Blackburn Mus. & Art Gallery.
—7H **13**
Blackburn Old Rd. *Gt Har* —2D **14**
Blackburn Old Rd. *Rish* —5B **14**
(in two parts)
Blackburn Rd. *Acc* —7G **23**
Blackburn Rd. *Alt & Pad* —1F **17**
Blackburn Rd. *B'brn & Osw* —3D **20**
Blackburn Rd. *Chu* —2K **21**
Blackburn Rd. *Clay M* —6J **15**
Blackburn Rd. *Dar* —7H **19**
(in two parts)
Blackburn Rd. *Gt Har* —3H **15**
Blackburn Rd. *Has* —2A **28**
Blackburn Rd. *Has & Ram*
—7D **28**
Blackburn Rd. *Rish* —1C **20**
Blackburn Rovers F.C. —5G **19**
(Ewood Pk.)
Blackburn Shop. Cen. B'brn —7H **13**
(off Church St.)
Blackburn St. *B'brn* —6H **13**
Blackburn St. *Burn* —4A **10**
Blacker St. *Burn* —7B **6**
Black Ho. La. *Brclf* —7K **7**

Blacklane Cft. *Clith* —4E **2**
(off Railway Vw.)
Black La. Cft. *Clith* —4E **2**
Blackpool St. *Chu* —3K **21**
Blackpool St. *Dar* —7F **27**
Blacksnape Rd. *Hodd* —4H **27**
Blackthorn Cres. *Bacup* —2H **31**
Blackthorn La. *Bacup* —1H **31**
Blackwood Rd. *Bacup* —6D **30**
Blake Gdns. *Gt Har* —3G **15**
Blake St. *Acc* —2C **22**
Blakewater Rd. *B'brn* —1A **20**
Blakey Moor. *B'brn* —7G **13**
Blakey St. *Burn* —4B **10**
Blannell St. *Burn* —4K **9**
Blascomay Sq. Col —4G **5**
(off Raglan St.)
Blea Clo. *Burn* —2H **9**
Bleasdale Av. *Clith* —6C **2**
Blenheim Clo. *B'brn* —3H **13**
Blenheim St. *Col* —3K **5**
Blucher St. *Col* —4H **5**
Bluebell Av. *Has* —5A **28**
Board St. *Burn* —1B **10**
Boarsgreave La. *Ross* —7B **30**
Boathorse La. *Burn* —4J **9**
Bobbin Clo. *Acc* —3B **22**
Bocholt Way. *Ross* —3G **29**
Bog Height Rd. *Dar* —7E **18**
Boland St. *B'brn* —5K **13**
Bold St. *Acc* —2D **22**
Bold St. *Bacup* —2H **31**
Bold St. *B'brn* —6H **13**
Bold St. *Col* —4H **5**
Bolland Clo. *Clith* —5F **3**
Bolland Prospect. *Clith* —5F **3**
Bolton Av. *Acc* —6E **16**
Bolton Gro. *Barfd* —5A **4**
Bolton Rd. *B'brn* —4G **19**
Bolton Rd. *Dar* —4E **26**
Bolton's Ct. B'brn —7H **13**
(off Exchange Ter.)
Bolton St. *Col* —4E **4**
Bolton St. *Newc* —4A **30**
Bombay St. *B'brn* —2F **19**
Bonchurch St. *B'brn* —4B **20**
Bond St. *Acc* —3B **22**
Bond St. *Burn* —2B **10**
Bond St. *Col* —3G **5**
Bond St. *Dar* —2E **26**
Bond St. *Nels* —2E **6**
Bonfire Hill Clo. *Ross* —5H **25**
Bonfire Hill Rd. *Ross* —5G **25**
Bonsall St. *B'brn* —3D **18**
Booth Ct. Burn —2B **10**
(off Old Hall St.)
Booth Cres. *Ross* —4C **30**
Boothman Pl. *Nels* —6B **4**
Boothman St. *B'brn* —3G **19**
Booth Pl. *Ross* —4B **30**
Booth Rd. *Ross & Bacup* —4B **30**
Booth St. *Acc* —3D **22**
Booth St. *Bacup* —3H **31**
Booth St. *Has* —1A **28**
Booth St. *Nels* —1E **6**
Booth St. *Ross* —5A **30**
Boot Ho. La. *Col* —6D **4**
(in two parts)
Borough Rd. *Dar* —5D **26**
Borrowdale Av. *B'brn* —5B **20**
Borrowdale Clo. *Acc* —6E **16**
Borrowdale Clo. *Burn* —6D **6**
Borrowdale Dri. *Burn* —5D **6**
Bosley Clo. *Dar* —5H **27**
Boston Rd. *Bacup* —2H **31**
Bostons. *Gt Har* —2G **15**
Boston St. *Nels* —3G **7**
Bott Ho. La. *Col* —6D **4**
(in two parts)
Bottomgate. *B'brn* —3A **20**
Bottomley Bank La. *Ross* —5G **25**
Bottomley St. *Nels* —1F **7**
Bottom's Row. *Ross* —7B **30**
Boulder St. *Ross* —5G **25**
Bouldsworth Rd. *Burn* —5F **11**
Boulevard, The. *B'brn* —1H **19**
Boulsworth Cres. *Nels* —7E **4**
Boulsworth Dri. *Traw* —7K **5**
Boulsworth Gro. *Col* —3K **5**
Boulsworth Rd. *Traw* —7K **5**
Boulview Ter. *Col* —3K **5**

Boundary Rd. *Acc* —1D **22**
Boundary St. *Burn* —7D **6**
Boundary St. *Col* —4G **5**
Bowden Av. *Pleas* —4A **18**
Bowen St. *B'brn* —3E **18**
Bower Clo. *B'brn* —3E **18**
Bower St. *B'brn* —3E **18**
Bowland Av. *Burn* —5F **11**
Bowland Ct. *Clith* —5E **2**
Bowland Ho. B'brn —6J **13**
(off Primrose Bank)
Bowland Vw. *Brier* —5E **6**
Bowling Grn. Clo. *Dar* —7E **26**
Bowman Ct. B'brn —7J **13**
(off Cleaver St.)
Bowness Av. *Nels* —2F **7**
Bowness Clo. *B'brn* —6K **13**
Bowness Rd. *Pad* —1B **8**
Boxwood Dri. *B'brn* —5C **18**
Boxwood St. *B'brn* —4J **13**
Boyle St. *B'brn* —6J **13**
Bracewell Clo. *Nels* —1F **7**
Bracewell St. *Burn* —1C **10**
Bracewell St. *Nels* —1F **7**
Bracken Clo. *B'brn* —5C **18**
Bracken Gro. *Has* —5A **28**
Bracken Hey. *Clith* —5G **3**
Bradda Rd. *B'brn* —4H **19**
Bradford St. *Acc* —2E **22**
Bradley Fold. *Nels* —7B **4**
Bradley Gdns. *Burn* —5G **9**
Bradley Hall Rd. *Nels* —7C **4**
Bradley Rd. *Nels* —7B **4**
Bradley Rd. E. *Nels* —7B **4**
Bradley St. *Col* —3J **5**
Bradley Vw. *Nels* —7B **4**
Bradshaw Clo. *B'brn* —4H **13**
Bradshaw Clo. *Nels* —2F **7**
Bradshaw Row. *Chu* —2A **22**
Bradshaw St. *Chu* —2A **22**
Bradshaw St. *Nels* —2E **6**
Bradshaw St. E. *Acc* —2D **22**
Bradshaw St. W. *Acc* —2A **22**
Braeside. *B'brn* —6F **13**
Brambles, The. *B'brn* —4D **12**
Bramble St. *Burn* —1B **10**
Bramley Av. *Burn* —2H **9**
Bramley Clo. *Osw* —3K **21**
Branch Rd. *B'brn & Lwr D* —6H **19**
Branch Rd. *Burn* —5B **10**
Branch Rd. *Clay M* —4A **16**
Branch St. *Bacup* —5F **31**
Branch St. *Nels* —1G **7**
Brandwood. Ross —4A **30**
(off Staghills Rd.)
Brandwood Gro. *Burn* —4D **10**
Brandwood Pk. *Bacup* —5C **30**
Brandwood Rd. *Bacup* —5D **30**
Brandwood St. *Dar* —4F **27**
Brandy Ho. Brow. B'brn —3J **19**
Brantfell Dri. *Burn* —2G **9**
Brantfell Rd. *B'brn* —5G **13**
Brantfell Rd. *Gt Har* —1H **15**
Brantwood. *Clay M* —5K **15**
Brantwood Av. *B'brn* —3D **20**
Brassey St. *Burn* —4J **9**
Bread St. Burn —4J **9**
(off Redruth St.)
Brearley St. *Bacup* —5F **31**
Brecon Av. *Osw* —4H **21**
Brecon Rd. *B'brn* —3B **20**
Brendon Ho. Has —2B **28**
(off Pleasant St.)
Brennand St. *Burn* —1C **10**
Brennand St. *Clith* —4E **2**
Brent St. *Burn* —6D **6**
Brentwood Av. *Burn* —7K **9**
Brentwood Rd. *Nels* —7D **4**
Brett Clo. *Clith* —6G **3**
Brewery St. *B'brn* —7G **13**
Briarcroft. *Lwr D* —7K **19**
Briar Hill Clo. *B'brn* —1K **19**
Briar Rd. *B'brn* —4J **13**
Briar St. *Bacup* —4J **31**
Briar Ter. *Bacup* —4J **31**
Brick St. *Burn* —4A **10**
Bridge Clo. *Ross* —4B **30**
Bridge Ct. *Clith* —3F **3**
Bridge Cft. *Clay M* —3K **15**

Bri. End Clo. *Helm* —6A **28**
Bridgefield Clo. *Rish* —5G **15**
Bridgefield St. *Hap* —6B **8**
Bridgemill Rd. *B'brn* —1J **19**
Bri. Mill Rd. *Nels* —1D **6**
Bridge Rd. *Chat* —1K **3**
Bridge St. *Acc* —2D **22**
Bridge St. *B'brn* —1H **19**
Bridge St. *Brier* —3C **6**
Bridge St. *Burn* —4B **10**
Bridge St. *Chu* —2K **21**
Bridge St. *Col* —4F **5**
Bridge St. *Dar* —4E **26**
Bridge St. *Gt Har* —2H **15**
(in two parts)
Bridge St. *Newc* —4B **30**
Bridge St. *Pad* —2A **8**
Bridge St. *Rish* —5G **15**
Bridge St. *Ross* —6A **30**
Bridgewater Ho. B'brn —1F **19**
(off Bath St.)
Bridleway. *Ross* —3B **30**
Brief St. *Burn* —2B **10**
Briercliffe Av. *Col* —5E **4**
Briercliffe Rd. *Burn* —1C **10**
Briercliffe St. *Col* —5E **4**
Brier Cres. *Nels* —3E **6**
Brierh Gdns. Clo. *Brier* —4E **6**
Brigg Fld. *Clay M* —3A **16**
Brighton Rd. *Burn* —6D **6**
Brighton Ter. *B'brn* —6E **12**
Brighton Ter. *Dar* —3C **26**
Bright St. *Bacup* —3H **31**
Bright St. *Burn* —1B **10**
Bright St. *Clith* —5F **3**
Bright St. *Col* —3G **5**
Bright St. *Dar* —3D **26**
Bright St. *Osw* —5J **21**
Bright St. *Pad* —2C **8**
Bright St. *Ross* —2G **29**
Bright Ter. *Traw* —6J **5**
Brigsteer Clo. *Clay M* —5K **15**
Brindle St. *B'brn* —4F **19**
Brisbane St. *Clay M* —6B **16**
Bristol Clo. *B'brn* —1J **19**
Bristol St. *Burn* —7J **9**
Bristol St. *Col* —2H **5**
Britannia Av. *Bacup* —3J **31**
Britannia St. *Gt Har* —2H **15**
Britannia Wlk. Burn —6C **10**
(off Tarleton St.)
Britannia Way. *Ross* —5A **28**
British in India Mus. —3H **5**
Britten Clo. *B'brn* —3K **19**
Britten St. *Dar* —3D **26**
Britwell Clo. *B'brn* —5K **19**
Broadfield. *Osw* —6A **22**
Broadfield Rd. *Acc* —5B **22**
Broadfield St. *Osw* —5A **22**
Broadfield Ter. Osw —5A **22**
(off Broadfield St.)
Broadfold Av. *B'brn* —5K **13**
Broad Ga. *Dar* —3F **27**
Broadhurst Way. *Brier* —5D **6**
Broading Ter. *Ross* —1G **25**
Broadley St. *Ross* —2G **29**
Broadness Dri. *Nels* —3F **7**
Broad Oak Rd. *Acc* —3D **22**
Broad St. *Nels* —1E **6**
Broadtree Clo. *Mel* —1A **12**
Broadway. *Acc* —2D **22**
Broadway. *B'brn* —2H **13**
Broadway. *Has* —5A **28**
Broadway. *Nels* —1E **6**
Broadway Cres. *Has* —5A **28**
Broadway Pl. *Barfd* —5A **4**
Broadway Pl. *Nels* —7D **4**
Broadway St. *B'brn* —4E **18**
Brock Bank. *Ross* —1B **30**
Brock Clough Rd. *Ross* —1B **30**
Brockenhurst St. *Burn* —5D **10**
Brocklehurst Av. *Acc* —5C **22**
Broderick St. *Dar* —2D **26**
Brodick Rd. *B'brn* —5C **20**
Broken Banks. *Col* —4H **5**
Broken Stone Rd. *Dar* —6C **18**
Bromley Ho. B'brn —7F **13**
(off Bromley St.)
Bromley St. *B'brn* —7F **13**
Bromsgrove Rd. *Burn* —2C **10**

Causeway Head. *Has* —5A **28**
Causeway St. *Dar* —6G **27**
Causey Foot. *Nels* —2D **6**
Cavalry Way. *Burn* —4J **9**
Cavendish Pl. *B'brn* —2E **18**
Cavendish St. *Dar* —2D **26**
Cave St. *B'brn* —4E **18**
Cavour St. *Burn* —3A **10**
Cecilia Rd. *B'brn* —3C **18**
Cecil St. *B'brn* —6K **13**
Cecil St. *Osw* —4K **21**
Cecil St. *Rish* —5H **15**
Cedar Av. *Has* —2C **28**
Cedar Av. *Raw* —3E **28**
Cedar Clo. *Rish* —7G **15**
Cedar Ct. *B'brn* —5J **13**
Cedar St. *Acc* —2D **22**
Cedar St. *B'brn* —4J **13**
Cedar St. *Burn* —5C **10**
Celia St. *Burn* —5D **10**
Cemetery La. *Burn* —6F **9**
Cemetery Rd. *Dar* —7F **27**
Cemetery Rd. *Pad* —3B **8**
Centenary Way. *Burn* —5A **10**
Central Av. *Clith* —6D **2**
Central Av. *Osw* —4H **21**
Central Bldgs. Pad —1B 8
(off Factory La.)
Central Sq. *Has* —2B **28**
Central Vw. *Bacup* —3J **31**
Chad St. *Col* —6D **4**
Chadwick St. *B'brn* —2G **19**
Challenge Way. *B'brn* —1B **20**
Chancel Pl. *Dar* —5G **27**
Chancel Way. *Dar* —5G **27**
Chancery Wlk. *Burn* —4B **10**
Change Clo. *Bacup* —1K **31**
Chapel Clo. *Clith* —5B **2**
Chapel Clo. *Traw* —6J **5**
Chapel Ct. *Brclf* —6H **7**
Chapel Fld. *Col* —4G **5**
Chapel Hill La. *Ross* —1H **29**
Chapel Ho. Rish —6H 15
(off Chapel St.)
Chapel Ho. Rd. *Nels* —3E **6**
Chapel La. *Good* —3G **25**
Chapels. *Dar* —2E **26**
Chapels Brow. *Dar* —2E **26**
(in two parts)
Chapel St. *Acc* —3D **22**
Chapel St. *Bacup* —5E **30**
Chapel St. *B'brn* —1G **19**
Chapel St. *Brier* —3C **6**
Chapel St. *Burn* —4B **10**
Chapel St. *Clay M* —4K **15**
Chapel St. *Col* —4G **5**
Chapel St. *Dar* —5E **26**
Chapel St. *Good* —4G **25**
Chapel St. *Has* —2B **28**
Chapel St. *Nels* —1F **7**
Chapel St. *Newc* —4A **30**
Chapel St. *Osw* —4K **21**
Chapel St. *Rish* —6H **15**
Chapel St. *Wors* —5H **11**
Chapel Ter. *Ross* —1B **30**
Chapel Wlk. *Pad* —1B **8**
Chapman Rd. *Hodd* —4K **27**
Chapter Rd. *Dar* —5G **27**
Charles La. *Has* —3A **28**
Charles St. *B'brn* —3G **19**
Charles St. *Clay M* —4K **15**
Charles St. *Col* —3H **5**
Charles St. *Dar* —3E **26**
Charles St. *Gt Har* —3H **15**
Charles St. *Nels* —7A **4**
Charles St. *Osw* —5K **21**
Charles St. *Ross* —3B **30**
Charlotte St. *B'brn* —6H **13**
Charlotte St. *Burn* —5A **10**
Charnley St. *B'brn* —3F **19**
Charnwood Clo. *Gt Har* —4D **12**
Charter Brook. *Gt Har* —2J **15**
Charterhouse Pl. *B'brn* —2E **18**
Charter St. *Acc* —3A **22**
Chase, The. *Dar* —4E **26**
Chatburn Av. *Burn* —5E **10**
Chatburn Av. *Clith* —4E **2**
Chatburn Clo. *Gt Har* —2K **15**
Chatburn Clo. *Ross* —1G **29**
Chatburn Old Rd. *Chat* —1J **3**

Chatburn Old Rd. *Clith* —2F **3**
Chatburn Pk. Av. *Brier* —3B **6**
Chatburn Pk. Dri. *Brier* —3B **6**
Chatburn Pk. Dri. *Clith* —3F **3**
Chatburn Rd. *Clith* —4F **3**
Chatburn St. *B'brn* —7F **13**
Chatham Cres. *Dar* —2H **5**
Chatham St. *Col* —2H **5**
Chatham St. *Col* —3C **18**
Chatsworth Clo. *B'brn* —3H **13**
Chatterton Dri. *Acc* —6F **23**
Chaucer Gdns. *Gt Har* —3G **15**
Cheetham St. *B'brn* —7F **13**
Chelburn Gro. *Burn* —4D **10**
Chelston Dri. *Ross* —6A **28**
Cheltenham Av. *Acc* —7D **16**
Cheltenham Rd. *B'brn* —7F **13**
Chequers. *Clay M* —5A **16**
Cherry Clo. *B'brn* —3A **20**
Cherryclough Way. *B'brn*
    —5D **18**
Cherry Cres. *Osw* —6J **21**
Cherry Cres. *Ross* —5F **29**
Cherry Lea. *B'brn* —4C **18**
Cherry St. *B'brn* —3A **20**
Cherry Tree La. *B'brn* —5B **18**
Cherry Tree La. *Ross* —4F **29**
Cherry Tree M. Burn —7J 9
(off Bristol St.)
Cherry Tree Ter. *B'brn* —4C **18**
Cherry Tree Way. *Ross* —6A **28**
Chessington Grn. Burn —6E 6
(off Hillingdon Rd. N.)
Chester Av. *Clith* —4E **2**
Chester Clo. *B'brn* —2K **19**
Chester Cres. *Has* —5B **28**
Chester St. *Acc* —3B **22**
Chester St. *B'brn* —1K **19**
Chestnut Dri. *Ross* —5F **29**
Chestnut Gdns. *B'brn* —5J **13**
Chestnut Gro. *Acc* —4B **22**
Chestnut Gro. *Clay M* —3B **16**
Chestnut Gro. *Dar* —7E **26**
Chestnut Ri. *Burn* —6A **10**
Chestnut Wlk. B'brn —3A 20
(off Longton St.)
Chevassut Clo. *Barfd* —7A **4**
Cheviot Av. *Burn* —5F **11**
Chichester Clo. *Burn* —4C **10**
Chicken St. *B'brn* —1F **19**
Childrey Wlk. B'brn —5K 19
(off Ridgeway Av.)
Chiltern Av. *Burn* —5E **10**
China St. *Acc* —2A **22**
Chingford Bank. *Burn* —6D **6**
Chipping Gro. *Burn* —6E **10**
Chipping St. *Pad* —1C **8**
Chislehurst Gro. *Burn* —5E **6**
Chorlton Clo. *Burn* —7E **6**
Chorlton Gdns. *B'brn* —6J **13**
Chorlton St. *B'brn* —5J **13**
Christchurch Sq. *Acc* —3D **22**
Christchurch St. *Acc* —3D **22**
Christchurch St. *Bacup* —2J **31**
Christleton Clo. *Brclf* —6G **7**
Church All. *Clay M* —5A **16**
Church Av. *Acc* —7F **23**
Church Bank. *Chu* —1K **21**
Chu. Bank St. *Dar* —4E **26**
Church Brow. *Clith* —4E **2**
Chu. Brow Gdns. *Clith* —4E **2**
Church Clo. *Clith* —4E **2**
Church Clo. *Mel* —2B **12**
Church Clo. *Wadd* —1B **2**
Church Hall. *Acc* —1A **22**
Churchill Av. *Rish* —7F **15**
Churchill Rd. *Acc* —5E **22**
Churchill Rd. *Barfd* —1C **6**
Churchill Rd. *B'brn* —5K **13**
Churchill Way. *Brier* —1B **6**
Church La. *Clay M* —6B **16**
Church La. *Gt Har* —1H **15**
Church La. *Mel* —2B **12**
Church La. *Newc* —4A **30**
Church La. *Pad* —1B **8**
Church Meadows. *Col* —3G **5**
Church Pad. *Ross* —3G **29**
Church Sq. Wors —5J 11
(off Ravenoak La.)
Church St. *Acc* —3D **22**

Church St. *Bacup* —5E **30**
Church St. *Barfd* —4A **4**
Church St. *B'brn* —7H **13**
Church St. *Brclf* —7G **7**
Church St. *Brier* —4C **6**
Church St. *Burn* —3B **10**
Church St. *Chu* —1K **21**
Church St. *Clay M* —5A **16**
Church St. *Clith* —5E **2**
Church St. *Col* —3G **5**
Church St. *Dar* —4E **26**
Church St. *Good* —3G **25**
Church St. *Gt Har* —2H **15**
Church St. *Hap* —6B **8**
Church St. *Has* —2B **28**
Church St. *Newc* —4A **30**
Church St. *Osw* —5J **21**
Church St. *Pad* —2A **8**
Church St. *Rish* —6F **15**
Church St. *Ross* —5A **30**
Church St. *Traw* —6K **5**
Church Ter. *Dar* —4E **26**
Churchtown Cres. *Bacup*
    —4J **31**
Church Vw. Traw —6K 5
(off Ash St.)
Church Wlk. *B'brn* —1J **13**
Church Wlk. *Clith* —5E **2**
Church Way. *Nels* —3E **6**
Cicely Ct. *B'brn* —1J **13**
Cicely La. *B'brn* —7J **13**
Cicely St. *B'brn* —1J **13**
Circus, The. *Dar* —4E **26**
Clare Av. *Col* —6D **4**
Claremont Av. *Clith* —6F **3**
Claremont Dri. *Clith* —6F **3**
Claremont Rd. *Acc* —7C **16**
Claremont St. *Brier* —4B **6**
Claremont St. *Burn* —4J **9**
Claremont St. *Col* —3J **5**
Claremont Ter. *Nels* —2E **6**
Clarence Av. *Has* —4A **28**
Clarence Pk. *B'brn* —5E **12**
Clarence Rd. *Acc* —4B **22**
Clarence St. *B'brn* —6G **13**
Clarence St. *Burn* —6C **10**
Clarence St. *Col* —3K **5**
Clarence St. *Dar* —2D **26**
Clarence St. *Osw* —5H **21**
Clarence St. *Ross* —5G **25**
Clarence St. *Traw* —6K **5**
Clarendon Rd. *B'brn* —4J **13**
Clarendon Rd. E. *B'brn* —4J **13**
Clarendon St. *Acc* —2E **22**
Clarendon St. *Col* —3K **5**
Clare St. *Burn* —4K **9**
Claret St. *Acc* —3B **22**
Clarke Holme St. *Ross* —3B **30**
Clarke St. *Rish* —6G **15**
Claughton St. *Burn* —1C **10**
Claybank. *Pad* —1B **8**
Clay St. *Burn* —5H **9**
Clayton Av. *Ross* —5E **28**
Clayton Bus. Pk. *Clay M* —5J **15**
Clayton Clo. *Nels* —7A **4**
Clayton Gro. *Clay D* —2A **14**
Clayton Hall Dri. *Clay M* —3A **16**
Clayton St. *B'brn* —1H **19**
Clayton St. *Clay M* —6B **16**
Clayton St. *Col* —4H **5**
Clayton St. *Gt Har* —2H **15**
Clayton St. *Nels* —1E **6**
(in two parts)
Clayton St. *Osw* —3K **21**
Clayton St. Ind. Est. *Nels* —7A **4**
Clayton Way. *Clay M* —4B **16**
Cleaver St. *B'brn* —7J **13**
Cleaver St. *Burn* —2C **10**
Clegg St. *Bacup* —5E **30**
Clegg St. *Brier* —4C **6**
Clegg St. *Burn* —2B **10**
Clegg St. *Has* —2B **28**
Clegg St. *Nels* —3F **7**
Clegg St. *Wors* —5H **11**
Clegg St. E. Burn —2B 10
(off Grey St.)
Clematis St. *B'brn* —7E **12**
Clements Dri. *Brier* —5D **6**
Clement St. *Acc* —4D **22**
Clement St. *Dar* —5E **26**

Clement Vw. *Nels* —1E **6**
Clerkhill St. *B'brn* —3A **20**
Clery St. *Burn* —5F **9**
Cleveland Ho. Has —2B 28
(off Pleasant St.)
Clevelands Gro. *Burn* —6K **9**
Clevelands Mt. Burn —6A 10
(off Clevelands Gro.)
Clevelands Rd. *Burn* —6K **9**
Cleveland St. *Col* —2J **5**
Cleveland Ter. *Dar* —5F **27**
Cleveleys Rd. *Acc* —7B **16**
Cleveleys Rd. *B'brn* —4J **19**
Cliffe La. *Gt Har* —1H **15**
Cliffe St. *Nels* —7B **4**
Clifford St. *Col* —3H **5**
Cliff St. *Col* —5E **4**
Cliff St. *Pad* —1C **8**
Cliff St. *Rish* —5G **15**
Clifton Av. *Acc* —7D **16**
Clifton Dri. *Gt Har* —1H **15**
Clifton Gro. *Wilp* —4B **14**
Clifton Rd. *Brier* —5D **6**
Clifton Rd. *Burn* —3H **9**
Clifton St. *Acc* —4B **22**
Clifton St. *B'brn* —1H **19**
Clifton St. *Burn* —4K **9**
Clifton St. *Col* —3G **5**
Clifton St. *Dar* —1D **26**
Clifton St. *Rish* —6G **15**
Clifton St. *Traw* —6J **5**
Clifton Ter. Hodd —3J 27
Clinkham Rd. *Gt Har* —2E **14**
Clinton St. *B'brn* —6K **13**
Clipper Quay. *B'brn* —2J **19**
Clitheroe By-Pass. *Clith* —7G **3**
Clitheroe Castle Mus. —5E **2**
Clitheroe Rd. *Brier* —4A **6**
Clitheroe Rd. *Chat* —2J **3**
Clitheroe Rd. *Wadd* —1B **2**
Clitheroe Rd. *W Brad* —1E **2**
Clitheroe St. *Burn* —1B **8**
Clive St. *Burn* —2A **10**
Clockhouse Av. *Burn* —6E **6**
Clockhouse Ct. *Burn* —6E **6**
Clockhouse Gro. *Burn* —6E **6**
Clod La. *Has* —6C **28**
Clogg Head. *Traw* —6K **5**
Cloister Dri. *Dar* —4F **27**
Close, The. *Acc* —4A **24**
Close, The. *Clay M* —3A **16**
Cloth Hall St. *Col* —3G **5**
Clough Bank. *Chat* —1K **3**
Clough End Rd. *Has* —7B **24**
Clough Rd. *Bacup* —2J **31**
Clough Rd. *Nels* —1H **7**
Clough St. *Bacup* —5F **31**
Clough St. *Burn* —5J **9**
(in two parts)
Clough St. *Dar* —7G **27**
Clough St. *Ross* —4B **30**
Clough, The. *Dar* —7G **27**
Clover Cres. *Burn* —2J **9**
Cloverfields. *B'brn* —6K **13**
Clover Hill Rd. *Nels* —2G **7**
Clover St. *Bacup* —2J **31**
Clover Ter. *Dar* —2E **26**
Clyde St. *B'brn* —2E **18**
Clynders Cotts. *Burn* —1H **9**
Coach Rd. *Chu* —3K **21**
Coal Clough La. *Burn* —5K **9**
Coal Hey St. Has —2B 28
(off Peel St.)
Coal Pit La. *Acc* —4A **22**
Coal Pit La. *Bacup* —2K **31**
Coal Pit La. *Col* —4J **5**
Coal Pit La. *Ross* —2C **30**
Coal St. *Burn* —4A **10**
Cobbs La. *Osw* —7K **21**
Cob Castle Rd. *Has* —2A **28**
Cobden Ct. B'brn —7H 13
(off Blackburn Shop. Cen.)
Cobden Ho. *Ross* —4K **29**
Cobden St. *Bacup* —5K **31**
Cobden St. *B'brn* —7H **13**
Cobden St. *Brclf* —6G **7**
Cobden St. *Burn* —2C **10**
Cobden St. *Dar* —5E **26**
Cobden St. *Hap* —6B **8**
Cobden St. *Nels* —2E **6**
Cobden St. *Pad* —1C **8**

Cobham Ct. *Ross* —4A **30**
Cobham Rd. *Acc* —3E **22**
Cobourg Clo. *B'brn* —3J **19**
Cob Wall. *B'brn* —6K **13**
Cochran St. *Dar* —5E **26**
Cockerill St. *Has* —1B **28**
Cockermouth Clo. *B'brn* —6J **19**
Cocker St. *Dar* —6G **27**
Cockridge Clo. *B'brn* —5E **18**
Coddington St. *B'brn* —3A **20**
Cog La. *Burn* —5H **9**
Cog St. *Burn* —5J **9**
Colbran St. *Burn* —1C **10**
Colbran St. *Nels* —6C **4**
Coldstream Pl. *B'brn* —3H **19**
Coldweather Av. *Nels* —4G **7**
Coleman St. *Nels* —1G **7**
Colenso Rd. *B'brn* —5G **13**
Coleridge Clo. *Col* —2G **5**
Coleridge Dri. *Acc* —6F **23**
Coleridge Pl. *Gt Har* —3G **15**
Coleridge St. *B'brn* —2F **19**
Coleshill Av. *Burn* —5D **10**
Colin St. *Burn* —5J **9**
Colldale Ter. *Has* —3B **28**
College Clo. *Pad* —4C **8**
College St. *Acc* —2B **22**
Collier's Row. *Guide* —7E **20**
Colliers Sq. Acc —3K **21**
(off Colliers St.)
Colliers St. *Osw* —3K **21**
Collier St. *Osw* —6F **23**
Collinge Fold La. *Ross* —1F **29**
Collinge St. *Pad* —3B **8**
Collinge St. *Ross* —1F **29**
Collingwood. *Clay M* —5K **15**
Collingwood St. *Col* —4E **4**
Collins Dri. *Acc* —6F **23**
Colne La. *Col* —4H **5**
Colne Rd. *Barfd & Col* —4B **4**
Colne Rd. *Brier* —3C **6**
(in two parts)
Colne Rd. *Burn* —5C **6**
Colne Rd. *Traw* —6J **5**
Colthirst Dri. *Clith* —3F **3**
Columbia Way. *B'brn* —4D **12**
Colville Rd. *Dar* —1C **26**
Colville St. *Burn* —2B **10**
Commerce St. *Bacup* —3H **31**
Commerce St. *Has* —2A **28**
(in two parts)
Commercial Rd. *Gt Har* —2H **15**
Commercial Rd. *Nels* —1F **7**
Commercial St. *Bacup* —5F **31**
Commercial St. *Brier* —3C **6**
Commercial St. *Chu* —2K **21**
Commercial St. *Gt Har* —2H **15**
Commercial St. *Osw* —5J **21**
Commercial St. *Rish* —5G **15**
Commercial St. *Ross* —1G **25**
Como Av. *Burn* —6H **9**
Company St. *Rish* —6G **15**
Compston Av. *Ross* —3G **25**
Comrie Cres. *Burn* —7J **9**
Conduit St. *Nels* —7A **4**
Coniston Av. *Acc* —4A **22**
Coniston Av. *Bacup* —1J **31**
Coniston Av. *Pad* —1B **8**
Coniston Dri. *Dar* —3G **27**
Coniston Gro. *Col* —2K **5**
Coniston Rd. *B'brn* —5K **13**
Coniston St. *Burn* —4H **9**
Coniston Way. *Rish* —6E **14**
Constable Av. *Burn* —7A **10**
Constable Lee Ct. Ross —1G **29**
(off Burnley Rd.)
Constable Lee Cres. *Ross*
—1G **29**

Conway Av. *B'brn* —5H **13**
Conway Av. *Clith* —6C **2**
Conway Clo. *Has* —4B **28**
Conway Dri. *Osw* —4G **21**
Conway Gro. *Burn* —6D **6**
Conway Rd. *Ross* —2J **29**
Cook Ct. *B'brn* —6D **12**
Cook Gdns. *B'brn* —4A **20**
Cook Ho. Rd. *Col* —2H **5**
Cooperage, The. *Osw* —5J **21**
Co-operation St. *Bacup* —3J **31**
Co-operation St. *Craw* —5G **25**

Co-operation St. *Ross* —3H **29**
(Bacup Rd.)
Co-operation St. *Ross* —3B **30**
(Burnley Rd. E.)
Coopers Clo. Osw —5J **21**
(off Peel St.)
Cooper St. *Bacup* —2H **31**
Cooper St. *Burn* —5B **10**
Cooper St. *Nels* —7B **4**
Copperfield St. *Burn* —4G **11**
Copperfield St. *B'brn* —2J **19**
Coppice Av. *Acc* —1E **22**
Coppice Clo. *Nels* —6D **4**
Coppice, The. *B'brn* —5D **12**
Coppice, The. *Clay M* —3A **16**
Copse, The. *Acc* —3A **22**
Copster Hill Clo. *Guide* —7C **20**
Copthurst St. *Pad* —1B **8**
Copy Nook. *B'brn* —7K **13**
Copy St. *B'brn* —7K **13**
Corbridge Ct. *Clith* —4E **2**
Corlass St. *Barfd* —5A **4**
Cornel Gro. *Burn* —6H **9**
Cornelian St. *B'brn* —2J **13**
Cornfield Gro. *Burn* —2F **9**
Cornfield St. *Dar* —3F **27**
Cornhill. *Acc* —2D **22**
Cornhill Arc. Acc —2D **22**
(off Cornhill)
Cornholme. *Burn* —7F **7**
Corn Mill La. Ross —2G **29**
(off Greenfield St.)
Corn Mill Yd. *Clay M* —5A **16**
Cornwall Av. *B'brn* —4D **20**
Cornwall Pl. *Chu* —1A **22**
Cornwall Rd. *Rish* —6F **15**
Coronation Av. *B'brn* —6A **18**
Coronation Av. *Pad* —4B **8**
Coronation Gro. *Ross* —4A **30**
Coronation Pl. *Barfd* —5A **4**
Coronation Rd. *Brier* —4D **6**
Coronation St. *Gt Har* —1J **15**
Corporation St. *Acc* —3B **22**
Corporation St. *B'brn* —7H **13**
Corporation St. *Clith* —5D **2**
Corporation St. *Col* —5D **4**
Corwen Clo. *B'brn* —6H **13**
Cotswold Ho. Has —2B **28**
(off Warwick St.)
Cotswold M. *B'brn* —5K **19**
Cottom Cft. *Clay M* —3A **16**
Cotton Ct. *Col* —5F **5**
Cotton Hall St. *Dar* —3E **26**
Cotton St. *Acc* —3C **22**
Cotton St. *Burn* —4J **9**
Cotton St. *Pad* —3B **8**
Cotton Tree La. *Col* —3K **5**
Coultate St. *Burn* —4H **9**
Coulton Rd. *Brier* —2C **6**
Countess Rd. *Lwr D* —6J **19**
Countess St. *Acc* —2A **22**
Court Grn. *Clay D* —2A **14**
Courtyard, The. *Bacup* —2J **31**
Coverdale Dri. *B'brn* —6A **18**
Coverdale Way. *Burn* —3J **9**
Cowan Brae. *B'brn* —6G **13**
Cowell Way. *B'brn* —7G **13**
Cowes Av. *Has* —3C **28**
Cowgill St. *Bacup* —2J **31**
Cowhill La. *Rish* —1E **20**
Cow La. *Burn* —4A **10**
Cowley Cres. *Pad* —3D **8**
Cowper Av. *Clith* —4E **2**
Cowpe Rd. *Ross & Waterf* —5A **30**
Cowper St. *B'brn* —5J **13**
Cowper St. *Burn* —5H **9**
Cowtoot La. *Bacup* —2H **31**
Crabtree Av. *Bacup* —4J **31**
Crabtree Av. *Ross* —3B **30**
Crabtree St. *B'brn* —3A **20**
Crabtree St. *Brier* —4C **6**
Crabtree St. *Col* —4F **5**
Crabtree St. *Ross* —1B **30**
Cracoe Gill. *Barfd* —5A **4**
Craddock Rd. *Col* —3H **5**
Cragg St. *Col* —2H **5**
Cranberry Chase. *Dar* —6G **27**
Cranberry Clo. *Dar* —7H **27**
Cranberry La. *Dar* —6G **27**
Cranberry Ri. *Love* —2G **25**

Cranborne Ter. *B'brn* —6F **13**
Cranbourne Dri. *Chu* —7B **16**
Cranbourne St. *Col* —2H **5**
Cranbrook Av. *Osw* —4H **21**
Cranbrook St. *B'brn* —3G **19**
Cranfield Vw. *Dar* —7G **27**
Crangle Way. *Clith* —3G **3**
Crankshaw St. *Ross* —2G **29**
Cranmer St. *Burn* —4K **9**
Cranshaw Dri. *B'brn* —4H **13**
Cranshaw St. *Acc* —2C **22**
Cranwell Clo. *B'brn* —1J **19**
Cravendale Av. *Nels* —5B **4**
Craven's Av. *B'brn* —6H **19**
Craven's Brow. *B'brn* —6H **19**
Cravens Heath. *B'brn* —7H **19**
Cravens Hollow. *B'brn* —7G **19**
Craven St. *Acc* —3B **22**
Craven St. *Brier* —4C **6**
Craven St. *Burn* —5B **10**
Craven St. *Clith* —6E **2**
Craven St. *Col* —3K **5**
Craven St. *Nels* —1D **6**
Craven St. *Ross* —3F **29**
Crawford St. *Nels* —7B **4**
Crawshaw Dri. *Ross* —6G **25**
Crawshaw Grange. *Craw* —6G **25**
Crawshaw La. *S'fld* —3K **27**
Crediton Clo. *B'brn* —5F **19**
Crescent, The. *B'brn* —4B **18**
Crescent, The. *Burn* —5C **6**
Crescent, The. *Clith* —5D **2**
Crescent, The. *Col* —2G **5**
Crescent, The. *Has* —4B **28**
Crescent, The. *Wors* —5H **11**
Creswick Av. *Burn* —7A **10**
Creswick Clo. *Burn* —7A **10**
Crewdson St. *Dar* —3D **26**
Cribden End La. *Has* —1B **28**
Cribden La. *Raw* —1E **28**
Cribden St. *Ross* —1F **29**
Criccieth Clo. *Has* —4B **28**
Crimea St. *Bacup* —3J **31**
Cringle Fold. *Clith* —3G **3**
Croasdale Av. *Burn* —7E **6**
Croasdale Dri. *Clith* —6F **3**
Croasdale Sq. *B'brn* —2K **19**
Crocus Clo. *Has* —5A **28**
Croft Clo. *Ross* —7G **25**
Cft. Head Rd. *Whi I* —6A **14**
Croft St. *Bacup* —2H **31**
Croft St. *Burn* —5B **10**
Croft St. *Clith* —6E **2**
Croft St. *Dar* —4E **26**
Croft St. *Gt Har* —3H **15**
Croft, The. *B'brn* —5G **13**
Croft, The. *Col* —1H **5**
Croft Wood Ter. *B'brn* —4D **18**
Cromer Av. *Burn* —1D **10**
Cromer Gro. *Burn* —1D **10**
Cromer Pl. *B'brn* —5H **13**
Crompton Pl. *B'brn* —7E **12**
Cromwell Av. *Acc* —7C **16**
Cromwell St. *B'brn* —1K **19**
Cromwell St. *Burn* —3A **10**
Cromwell Ter. *Barfd* —5A **4**
Cronkshaw St. *Burn* —3B **10**
Crooked Shore. *Bacup* —2H **31**
Crookhalgh Av. *Burn* —4G **11**
Crosby Clo. *Dar* —7F **27**
Crosby Rd. *B'brn* —4H **19**
Crosley Clo. *Acc* —5C **22**
Cross Bank. Pad —2C **8**
(off Hambledon St.)
Cross Barn Gro. *Dar* —5F **27**
Cross Barn Wlk. *Dar* —5F **27**
Cross Ct. *Bacup* —2J **31**
Cross Edge. *Osw* —7B **22**
Crossfield St. *B'brn* —2J **19**
Cross Gates. *Gt Har* —2H **15**
Cross Hagg St. *Col* —4G **5**
Cross Helliwell St. *Col* —4G **5**
Crosshill Rd. *B'brn* —7E **12**
Crosshills. Pad —1B **8**
(off East St.)
Crossland St. *Acc* —3B **22**
Crossley Fold. *Burn* —6J **9**
Cross School St. *Col* —4G **5**
Cross Skelton St. *Col* —3H **5**
Cross St. *Acc* —3D **22**

Cross St. *Brclf* —7G **7**
Cross St. *Brier* —4C **6**
Cross St. *Clay M* —4K **15**
Cross St. *Clith* —5D **2**
Cross St. *Dar* —6F **27**
Cross St. *Lwr D* —6J **19**
Cross St. *Nels* —1E **6**
Cross St. *Osw* —4J **21**
Cross St. *Ross* —5G **25**
Cross St. *Wors* —4J **11**
Cross St. N. *Has* —1B **28**
Cross St. S. *Has* —1B **28**
Cross St. W. *Col* —4E **4**
Croston Clo. *B'brn* —3A **20**
Croston St. *B'brn* —3B **20**
Crown Ho. *Dar* —1D **26**
Crown St. *Acc* —3B **22**
Crown St. *Dar* —5E **26**
Crown Way. *Col* —3F **5**
Crowther Ct. Wors —4J **11**
(off Showfield)
Crowther St. *Burn* —6C **10**
Crowther St. *Clay M* —4K **15**
Crow Tree Av. *Bacup* —5D **30**
Crow Tree Gdns. *Chat* —1K **3**
Crow Trees Brow. *Chat* —1K **3**
Crow Wood Av. *Burn* —3J **9**
Crow Wood Ct. *Burn* —3K **9**
Crow Wood Rd. *Ross* —7D **28**
Crow Woods. *Ram* —7D **28**
Croydon St. *B'brn* —7F **13**
Cuba St. *Nels* —1E **6**
Cuckoo Brow. *B'brn* —4G **13**
Cuckstool La. *Fence* —3A **6**
Cuerdale St. *Burn* —6F **7**
Cuerden St. *Col* —5E **4**
Culshaw St. *B'brn* —7K **13**
Culshaw St. *Burn* —5D **10**
Cumberland Av. *Burn* —3F **9**
Cumberland Av. *Clay M* —4B **16**
Cumberland St. *B'brn* —1K **19**
Cumberland St. *Col* —3H **5**
Cumberland St. *Nels* —7B **4**
Cumbrian Way. *Burn* —2G **9**
Cumpstey St. *B'brn* —2H **19**
Cuncliffe Ct. *Clay M* —5A **16**
Cunliffe Clo. *B'brn* —6A **14**
Cunliffe Ho. Ross —4K **29**
(off Bacup Rd.)
Cunliffe Rd. *B'brn* —6A **14**
Cunningham Gro. *Burn* —4G **9**
Curate St. *Gt Har* —2H **15**
Curlew Clo. *B'brn* —4H **13**
Curlew Clo. *Osw* —5J **21**
Curlew Gdns. *Burn* —5G **9**
Curtis St. *Ross* —2G **29**
Curven Edge. *Ross* —6A **28**
Curve St. *Bacup* —4H **31**
Curzon Pl. *B'brn* —2F **19**
Curzon St. *Burn* —4A **10**
(in two parts)
Curzon St. *Clith* —5D **2**
Curzon St. *Col* —4H **5**
Cut La. *Rish* —6E **14**
(in two parts)
Cutler Clo. *B'brn* —7G **13**
Cutler Cres. *Bacup* —6F **31**
Cutler La. *Bacup* —6F **31**
Cypress Ridge. *B'brn* —5C **18**
Cypress St. *Bacup* —5E **30**
Cyprus St. *Dar* —7F **27**

Daffodil Clo. *Has* —5A **28**
Dahlia Clo. *Lwr D* —6K **19**
Daisy Bank. *Bacup* —2H **31**
Daisy Bank Cres. *Burn* —5G **11**
Daisyfield St. *Dar* —1C **26**
Daisy Hill. *Ross* —2G **29**
Daisy La. *B'brn* —6J **13**
Daisy St. *B'brn* —6J **13**
Daisy St. *Col* —4G **5**
Dalby Cres. *B'brn* —4D **18**
Dalby Lea. *B'brn* —4D **18**
Dale Clo. Burn —4J **9**
(off Tunnel St.)
Dale Cres. *B'brn* —5B **18**
Dalesford. *Has* —4B **28**
Dale St. *Acc* —2B **22**
Dale St. *Bacup* —2H **31**

Edge End La. *Ross* —6G **25**
Edge End Rd. *Gt Har* —2G **15**
Edge La. *Ross* —3J **9**
Edge Nook Rd. *B'brn* —7C **20**
Edgeside. *Gt Har* —2G **15**
Edgeside La. *Ross* —2B **30**
Edgeware Rd. *B'brn* —6F **13**
Edge Yate La. *Ross* —7H **25**
Edgworth Gro. *Burn* —4D **10**
Edinburgh Dri. *Osw* —5A **22**
Edinburgh Rd. *Has* —5A **28**
Edisford Rd. *Clith* —6B **2**
Edisford Rd. *Wadd* —1B **2**
Edison St. *Dar* —4D **26**
Edith St. *Burn* —1K **19**
Edith St. *Nels* —1G **7**
Edleston St. *Acc* —3A **22**
Edmonton Dri. *B'brn* —4D **12**
Edmundson St. *B'brn* —7F **13**
Edmundson St. *Chu* —2K **21**
Edmund St. *Acc* —3D **22**
Edmund St. *B'brn* —6G **19**
Edmund St. *Burn* —1C **10**
Edmund St. *Dar* —4F **27**
Edward Ct. *Chu* —2K **21**
Edward St. *Bacup* —2J **31**
Edward St. *Bax* —7F **23**
Edward St. *Burn* —4B **10**
Edward St. *Chu* —2K **21**
Edward St. *Craw* —4G **25**
Edward St. *Dar* —3E **26**
Edward St. *Gt Har* —2H **15**
Edward St. *Has* —6B **24**
Edward St. *Nels* —5C **4**
(in two parts)
Edward St. *Rish* —6G **15**
Egypt Mt. *Ross* —3E **28**
Egypt Ter. *Ross* —4E **28**
Elder Ct. *Acc* —7F **17**
Elder St. *Nels* —6C **4**
Eldon Rd. *B'brn* —5G **13**
Eldwick St. *Burn* —1D **10**
Eleanor St. *B'brn* —7J **13**
Eleanor St. *Nels* —7B **4**
Electricity St. *Acc* —1C **22**
Elgar Clo. *B'brn* —3K **19**
Elgin Cres. *Burn* —6J **9**
Elim Gdns. *B'brn* —4F **19**
Elim Pl. *B'brn* —4F **19**
Elim Vw. *Burn* —7E **6**
Elizabeth Dri. *Has* —5A **28**
Elizabeth Ho. *B'brn* —5A **20**
Elizabeth Ho. *Dar* —4F **27**
Elizabeth St. *Acc* —3A **22**
Elizabeth St. *B'brn* —7J **13**
Elizabeth St. *Burn* —5B **10**
Elizabeth St. *Nels* —7B **4**
Elizabeth St. *Pad* —3B **8**
Elizabeth St. *Ross* —1B **30**
Eliza St. *Burn* —5C **10**
Elland Rd. *Brier* —3D **6**
Ellenshaw Clo. *Dar* —4F **27**
Ellen St. *Dar* —6E **26**
Ellen St. *Nels* —1E **6**
Ellerbeck Clo. *Burn* —6F **7**
Ellerbeck Rd. *Acc* —1C **22**
Ellerbeck Rd. *Dar* —4F **27**
Ellesmere Av. *Col* —3J **5**
Ellesmere Rd. *Dar* —2C **26**
Elliott Av. *Dar* —7F **27**
Elliott St. *Burn* —5D **10**
Ellison Fold. *Clay M* —4K **15**
Ellison Fold La. *Dar* —4G **27**
Ellison Fold Ter. *Dar* —4F **27**
Ellison St. *Acc* —2C **22**
Ellison St. *Dar* —3E **26**
Ellis St. *Burn* —5K **9**
Elm Clo. *Has* —2B **28**
Elm Clo. *Rish* —7G **15**
Elmfield St. *Chu* —1A **22**
Elm Gro. *Dar* —2F **27**
Elm Mill. *B'brn* —2B **10**
Elm St. *Bacup* —2J **31**
Elm St. *B'brn* —5K **13**
Elm St. *Burn* —1B **10**
Elm St. *Col* —2H **5**
Elm St. *Gt Har* —3H **15**
Elm St. *Has* —2B **28**

Elm St. *Nels* —7B **4**
Elm St. *Raw* —2G **29**
Elmwood Clo. *Acc* —2E **22**
Elmwood St. *Burn* —5J **9**
Elswick St. *Mel* —1A **12**
Elswick Lodge. *Mel* —1B **12**
Elswick St. *Dar* —4F **27**
Ely Clo. *Dar* —4G **27**
Ely Clo. *Wilp* —2B **14**
Emerald Av. *B'brn* —2J **13**
Emerald St. *B'brn* —2J **13**
Emily St. *B'brn* —6K **13**
Emily St. *Burn* —6B **10**
Emma St. *Acc* —2A **22**
Empire St. *Gt Har* —1J **15**
Empress St. *Acc* —2A **22**
Empress St. *Col* —3H **5**
Empress St. *Lwr D* —6J **19**
Enfield Rd. *Acc* —5E **16**
Ennerdale Av. *B'brn* —5B **20**
Ennerdale Clo. *Clith* —6C **2**
Ennerdale Clo. *Osw* —3J **21**
Ennerdale Rd. *Burn* —5F **11**
Ennerdale Rd. *Clith* —6C **2**
Ennismore St. *Burn* —1D **10**
Enterprise Ct. *Hun I* —6E **16**
Enterprise Way. *Col* —5C **4**
Entwistle Rd. *Acc* —7C **16**
Entwistle St. *Dar* —4E **26**
Epsom Way. *Acc* —3E **22**
Epworth St. *Dar* —7F **27**
Equity St. *Dar* —5E **26**
Ermine Clo. *B'brn* —5K **19**
Ernest St. *Bacup* —5K **31**
Ernest St. *Chu* —2K **21**
Ernest St. *Clay M* —6A **16**
Ernlouen Clo. *B'brn* —5D **18**
Escar St. *Burn* —5A **10**
Escott Gdns. *Burn* —2B **10**
Eshton Ter. *Clith* —6D **2**
Eskdale Clo. *Burn* —5C **6**
Eskdale Cres. *B'brn* —5B **18**
Eskdale Gdns. Pad —1B **8**
(off Windermere Rd.)
Esplanade, The. *Rish* —7E **14**
Essex Av. *Burn* —3G **9**
Essex Clo. *B'brn* —2G **19**
Essex Rd. *Rish* —6F **15**
Essex St. *Acc* —2E **22**
Essex St. *Col* —4H **5**
Essex St. *Dar* —4F **27**
Essex St. *Nels* —7B **4**
Esther St. *B'brn* —3B **20**
Ethersall Rd. *Nels* —3F **7**
Eton Av. *Acc* —1D **22**
Eton Clo. *Pad* —4D **8**
Euro Trad. Est. *B'brn* —5J **13**
Evans St. *Burn* —6A **10**
Evelyn Rd. *Dar* —1C **26**
Evelyn St. *Burn* —1B **10**
Evergreens, The. *B'brn* —5C **18**
Everton. *B'brn* —4K **19**
Everton St. *Dar* —4D **26**
Every St. *Brier* —3C **6**
Every St. *Burn* —5K **9**
Every St. *Nels* —2D **6**
Evesham Clo. *Acc* —1B **22**
Ewood. *B'brn* —4G **19**
Ewood Ct. *B'brn* —3F **19**
Ewood La. *Has* —6C **28**
Exchange St. *Acc* —3A **22**
Exchange St. *B'brn* —7H **13**
Exchange St. *Col* —4G **5**
Exchange St. *Dar* —3E **26**
Exeter St. *B'brn* —3H **19**
Exmouth St. *Burn* —5B **10**
Exton St. *Brier* —4B **6**
Extwistle Rd. *Wors* —5J **11**
Extwistle Sq. *Burn* —5F **11**
Extwistle St. *Burn* —2B **10**
Extwistle St. *Nels* —2E **6**

Factory La. *Barfd* —4A **4**
Factory La. *Pad* —1B **8**
Fairbairn Av. *Burn* —2H **9**
Fairbank Wlk. *Love* —2G **25**
Fairclough Rd. *Acc* —5B **22**
Fairfield Av. *Ross* —3B **30**

Fairfield Clo. *Clith* —6C **2**
Fairfield Dri. *Burn* —6C **6**
Fairfield Dri. *Clith* —6C **2**
Fairfield Rd. *Nels* —1J **7**
Fairfields Dri. *Lwr D* —7J **19**
Fairfield St. *Acc* —4A **22**
Fairhaven Rd. *B'brn* —4J **19**
Fair Hill. *Ross* —6A **28**
Fairhill Ter. *Ross* —6A **28**
Fairholme Rd. *Burn* —7C **10**
Fairhope Ct. *B'brn* —6F **13**
Fairview. *Ross* —7F **25**
Fair Vw. Cres. *Bacup* —3K **31**
Fair Vw. Rd. *Burn* —5C **10**
Fairways Ct. *Wilp* —3B **14**
Fairweather Ct. *Pad* —1C **8**
Falcon Av. *Dar* —2C **26**
Falcon Clo. *B'brn* —4G **13**
Falcon Ct. *Clay M* —5A **16**
Fallbarn Cres. *Ross* —4F **29**
Fallbarn Rd. *Ross* —3H **29**
(in two parts)
Fallowfield Dri. *Burn* —2J **9**
Falmouth Av. *Has* —3C **28**
Faraday Av. *Clith* —5D **2**
Faraday St. *Burn* —3H **9**
Farholme La. *Bacup* —5F **31**
Farm Av. *Bacup* —1H **31**
Farmer's Row. *B'brn* —6E **18**
Farm Ho. Clo. *B'brn* —4B **20**
Farndean Way. *Col* —4H **5**
Faroes Clo. *B'brn* —4J **19**
Farrer St. *Nels* —1D **6**
Farrington Clo. *Burn* —7H **9**
Farrington Ct. *Burn* —7H **9**
Farrington Pl. *Burn* —7H **9**
Farrington Rd. *Burn* —7G **9**
Favordale Rd. *Col* —2K **5**
Fawcett Clo. *B'brn* —2G **19**
Fearns Moss. *Bacup* —4C **30**
Fecitt Brow. *B'brn* —4B **20**
Fecitt Rd. *B'brn* —6E **12**
Feilden Pl. *B'brn* —5A **18**
Feilden St. *B'brn* —1G **19**
Felix St. *B'brn* —3C **10**
Fell Rd. *Wadd* —1B **2**
Fell Vw. *Burn* —6E **6**
Feniscliffe Dri. *B'brn* —3C **18**
Fennyfold Ter. *Pad* —4B **8**
Fenwick St. *Burn* —7J **9**
Ferguson St. *B'brn* —6G **19**
Fern Av. *Osw* —5A **22**
Fernbank Ct. *Nels* —2E **7**
Ferndale. *B'brn* —6K **13**
Ferndale St. *Burn* —2D **10**
Fern Gore Av. *Acc* —5B **22**
Fernhill Av. *Bacup* —5G **31**
Fernhill Clo. *Bacup* —5G **31**
Fernhill Cres. *Bacup* —5G **31**
Fernhill Dri. *Bacup* —5F **31**
Fernhill Gro. *Bacup* —4G **31**
Fernhill Pk. *Bacup* —5G **31**
Fernhill Way. *Bacup* —5G **31**
Fernhurst St. *B'brn* —5G **19**
Fernlea Av. *Osw* —5A **22**
Fernlea Clo. *B'brn* —5E **18**
Fernlea Dri. *Clay M* —3K **15**
Fern Lea St. *Ross* —5K **29**
Fern Rd. *Burn* —6K **9**
Ferns, The. *Bacup* —4J **31**
Fern St. *Bacup* —2H **31**
Fern St. *Col* —2J **5**
Fern St. *Ross* —4B **30**
Fern Ter. *Has* —2A **28**
Fernville Ter. *Bacup* —5F **31**
Ferrier Clo. *B'brn* —3B **20**
Ferrier St. *B'brn* —3B **20**
Fielden St. *Burn* —5H **9**
Fielding Cres. *B'brn* —4D **18**
Fielding La. *Gt Har* —2G **15**
Fielding La. *Osw* —5K **21**
Fielding St. *Rish* —6H **15**
Fields Rd. *Has* —4C **28**
Field St. *B'brn* —3E **18**
Field St. *Pad* —3B **8**
Fife St. *Acc* —3B **22**
Fife St. *Barfd* —1D **6**
Fifth Av. *Burn* —7C **6**
Finch Clo. *B'brn* —6J **13**
Finch St. *Dar* —3D **26**

Finsbury Pl. *B'brn* —6G **19**
Finsley Ga. *Burn* —5A **10**
Finsley St. *Brclf* —6F **7**
Finsley Vw. *Brclf* —6G **7**
Fir Ct. *Acc* —7F **17**
Fir Gro. Rd. *Burn* —6C **10**
Fir Mt. *Bacup* —4J **31**
First Av. *Chu* —6B **16**
Fir St. *Burn* —5C **10**
Fir St. *Has* —3C **28**
Fir St. *Nels* —1G **7**
Firtrees Dri. *B'brn* —5C **18**
Fishmoor Dri. *B'brn* —5J **19**
Fish Rake La. *Ross* —7D **28**
Flag St. *Bacup* —5G **31**
Flax Clo. *Has* —5A **28**
Flaxmoss Clo. *Helm* —5A **28**
Fleet St. *Nels* —7B **4**
Fleet Wlk. *Burn* —4B **10**
Fleetwood Clo. *B'brn* —4J **19**
Fleetwood Rd. *Burn* —7D **6**
Fleetwood Rd. *Pad* —2C **8**
Fleming Sq. *B'brn* —1H **19**
Fletcher Rd. *Rish* —7F **15**
Fletcher St. *B'brn* —2G **19**
Fletcher St. *Nels* —2G **7**
Flimby Clo. *B'brn* —5J **19**
Flip Rd. *Has* —2A **28**
Florence Av. *Burn* —5H **9**
Florence Pl. *B'brn* —6K **13**
Florence St. *B'brn* —6K **13**
Florence St. *Burn* —5H **9**
Florence St. *Chu* —2K **21**
Folds St. *Burn* —2A **10**
Fold, The. *Barfd* —3B **4**
Folly Bank. *Ross* —4G **25**
Folly Ter. *Ross* —4G **25**
Forbes St. *Burn* —7F **9**
Fordside Av. *Clay M* —3K **15**
Ford St. *Barfd* —4B **4**
Ford St. *Burn* —1C **10**
Foreside. *Barfd* —3B **4**
Forest Bank. *Ross* —5G **25**
Forest Bank Rd. *Ross* —5G **25**
Fore St. *Lwr D* —6J **19**
Forestside. *B'brn* —6G **19**
Forest St. *Bacup* —3H **31**
Forest St. *Burn* —4B **10**
Forest St. *Nels* —7A **4**
(in two parts)
Forest Vw. *Barfd* —5A **4**
Forest Vw. *Brier* —4B **6**
Forfar Gro. *Burn* —7J **9**
Forfar St. *Burn* —7J **9**
Forge St. *Bacup* —3H **31**
Formby Clo. *B'brn* —5J **19**
Forrest St. *B'brn* —7K **13**
Fort St. *Acc* —2C **22**
Fort St. *B'brn* —7K **13**
Fort St. *Clay M* —4A **16**
Fort St. *Clith* —6D **2**
Fort St. Ind. Est. *B'brn* —6K **13**
Fosse St. *B'brn* —5K **19**
Foster St. *Acc* —1D **22**
Fothergill St. *Col* —3F **5**
Fould Clo. *Col* —5F **5**
Foulds Rd. *Traw* —5J **5**
Foulds Ter. *Traw* —6K **5**
Foundry St. *Bacup* —3H **31**
Foundry St. *B'brn* —1F **19**
Foundry St. *Burn* —4A **10**
Foundry St. *Dar* —4E **26**
Foundry St. *Has* —3B **28**
Foundry St. *Ross* —4F **29**
Fountain Pl. *Acc* —3C **22**
Fountain Retail Pk. *Acc* —2B **22**
Fountains Av. *B'brn* —7A **14**
Fountain Sq. *Barfd* —4A **4**
Fountain St. *Acc* —4B **22**
Fountain St. *Col* —4G **5**
Fountain St. *Dar* —5E **26**
Fountain St. *Nels* —7B **4**
Fountains Way. *Osw* —3G **21**
Fouracre. *Mel* —2B **12**
Four La. Ends Rd. *Bacup* —5D **30**
Fowler Height Clo. *B'brn* —6E **18**
Foxcroft. *Burn* —2J **9**
Foxdale Clo. *Bacup* —4J **31**
Foxhill Bank. *Chu* —3J **21**
Foxhill Bank Brow. *Chu* —3K **21**

Foxhill Dri. *Ross* —1B **30**
Foxhill Ter. *Acc* —4K **21**
Foxhill W. *Osw* —4K **21**
Fox Ho. St. *B'brn* —7F **13**
Foxstones Cres. *B'brn* —5D **18**
Foxstones La. *Cliv* —7H **11**
Fox St. *Acc* —2C **22**
Fox St. *Burn* —4E **8**
Fox St. *Clith* —4E **2**
Foxwell Clo. *Has* —3C **28**
Foxwood Chase. *Acc* —7F **17**
Frances St. *Dar* —3D **26**
France St. *B'brn* —1G **19**
France St. *Chu* —2K **21**
Francis Av. *Barfd* —3B **4**
Francis St. *B'brn* —4E **18**
Francis St. *Burn* —1B **10**
Francis St. *Clay M* —4A **16**
Francis St. *Col* —5E **4**
Franklin Rd. *B'brn* —2D **18**
Franklin St. *Burn* —4H **9**
Franklin St. *Clith* —6D **2**
Franklin St. *Dar* —4E **26**
Frank St. *Clay M* —6B **16**
Fraser St. *Acc* —4B **22**
Fraser St. *Burn* —1C **10**
Freckleton St. *B'brn* —1G **19**
   (in two parts)
Frederick Row. *B'brn* —3A **20**
Frederick St. *Acc* —2B **22**
Frederick St. *B'brn* —2H **19**
Frederick St. *Dar* —3E **26**
Frederick St. *Osw* —4K **21**
Free La. *Ross* —7A **28**
Free Trade St. *Burn* —4A **10**
French Clo. *B'brn* —1E **18**
French Rd. *B'brn* —1E **18**
Freshfield Av. *Clay M* —4K **15**
Friar Ct. *Acc* —2D **22**
Fry St. *Nels* —1G **7**
Fulham St. *Nels* —6C **4**
Fullers Ter. Bacup —4H **31**
   (off Park Rd.)
Full Vw. *B'brn* —5E **18**
Furness Av. *B'brn* —7A **14**
Furness St. *Burn* —1C **10**
Further Ga. *B'brn* —3A **20**
Furthergate Ind. Est. *B'brn* —3A **20**
Further La. *Sam & Mel* —3A **12**
Further Wilworth. *B'brn* —2H **13**

Gables, The. *Dar* —1C **26**
Gadfield St. *Dar* —5F **27**
Gaghills Rd. *Ross* —4B **30**
Gaghills Ter. Ross —4B **30**
   (off Gaghills Rd.)
Gainsborough Av. *B'brn* —6F **13**
Gainsborough Av. *Burn* —7K **9**
Galligreaves St. *B'brn* —2G **19**
Galligreaves Way. *B'brn* —2F **19**
Gambleside Clo. *Ross* —3G **25**
Game St. *Gt Har* —2H **15**
Gannow La. *Burn* —4G **9**
Garbett St. *Acc* —4B **22**
Garden Sq. *Traw* —6J **5**
Garden St. *Acc* —1C **22**
Garden St. *B'brn* —1F **19**
Garden St. *Brier* —4C **6**
Garden St. *Col* —4G **5**
Garden St. *Gt Har* —3H **15**
Garden St. *Nels* —1F **7**
Garden St. *Osw* —4J **21**
Garden St. *Pad* —1B **8**
Garden Va. Bus. Pk. *Col* —4E **4**
Garfield St. *Acc* —3E **22**
Garnett Rd. *Clith* —6C **2**
Garnett St. *Barfd* —6A **4**
Garnett St. *Dar* —4F **27**
Garrick St. *Nels* —6C **4**
Garsdale Av. *Burn* —5C **6**
Garsden Av. *B'brn* —6D **20**
Garstang St. *Dar* —3E **26**
Garswood Clo. *Burn* —7A **6**
Gas St. *Bacup* —3H **31**
Gas St. *Burn* —4A **10**
Gas St. *Has* —4A **28**
Gatefield Ct. Burn —6B **10**
   (off Hollingreave Rd.)
Gate St. *B'brn* —7K **13**

Gawthorpe Edge Pk. *Pad* —3E **8**
Gawthorpe Hall. —1E **8**
Gawthorpe Rd. *Burn* —3J **9**
Gawthorpe St. *Pad* —1B **8**
Gayle Way. Acc —4A **22**
   (off Lynton Rd.)
Geddes St. *B'brn* —3C **18**
Genoa St. *Burn* —6H **9**
George Av. *Gt Har* —3G **15**
George St. *Acc* —4A **22**
George St. *Bacup* —3J **31**
George St. *B'brn* —1H **19**
George St. *Burn* —5A **10**
George St. *Clay M* —4A **16**
George St. *Clith* —7D **2**
George St. *Dar* —3E **26**
George St. *Gt Har* —2H **15**
George St. *Has* —2B **28**
George St. *Nels* —7A **4**
George St. *Osw* —3K **21**
George St. *Rish* —6G **15**
George St. *Stac* —5E **30**
George St. W. *B'brn* —1F **19**
Gerald Ct. Burn —6C **10**
   (off Kirkgate)
Gertrude St. *Nels* —6C **4**
Gib Fld. Rd. *Col* —5D **4**
Gib Hill La. *Ross* —3H **25**
Gib Hill Rd. *Nels* —7E **4**
Gib La. *B'brn* —5D **18**
Gibraltar St. *B'brn* —6E **12**
Gibson St. *Nels* —6C **4**
Gilbert St. *Burn* —7F **7**
Gilbert St. *Ross* —4K **29**
Giles St. *Clith* —6E **2**
Giles St. *Nels* —7B **4**
Gillibrand St. *Dar* —2D **26**
Gillies St. *Acc* —2D **22**
Gillies St. *B'brn* —2J **19**
Gills Cft. *Clith* —7F **3**
Gill St. *Burn* —4K **9**
Gill St. *Col* —5E **4**
Gill St. *Nels* —7A **4**
Girvan Gro. *Burn* —5J **9**
Gisburn Gro. *Burn* —5E **10**
Gisburn Rd. *Barfd* —6A **4**
Gisburn Rd. *Black* —1A **4**
Gisburn St. *B'brn* —1F **19**
Glade, The. *B'brn* —7H **19**
Gladstone Cres. *Bacup* —3J **31**
Gladstone St. *Bacup* —3J **31**
Gladstone St. *B'brn* —2A **20**
Gladstone St. *Gt Har* —2H **15**
Gladstone Ter. *Barfd* —5A **4**
Gladstone St. *B'brn* —4C **18**
Glamorgan Gro. *Burn* —3F **9**
Glasson Clo. *B'brn* —4J **19**
Glebe Clo. *Acc* —3C **22**
Glebe St. *Burn* —6B **10**
Glebe St. *Gt Har* —2H **15**
Glenborough Av. *Bacup* —5E **30**
Glenbrook Clo. *B'brn* —5E **18**
Glencarron Clo. *Hodd* —5K **27**
Glencoe Av. *Hodd* —4J **27**
Glen Cres. *Bacup* —5C **30**
Glendale Clo. *Burn* —7B **10**
Glendale Dri. *Mel* —2B **12**
Glendene Pk. *Clay D* —3A **14**
Glendor Rd. *Burn* —5F **11**
Gleneagles Av. *Hodd* —4J **27**
Gleneagles Ct. *B'brn* —5B **20**
Glenfield Clo. *B'brn* —1A **20**
Glenfield Pk. Bus. Cen. *B'brn*
   —1A **20**
Glenfield Pk. Ind. Est. *B'brn*
   —7A **14**
Glenfield Pk. Ind. Est. *Nels* —7D **4**
Glenfield Rd. *Nels* —7C **4**
Glengreave Av. *Rams* —1H **13**
Glenluce Cres. *B'brn* —5C **20**
Glenmore Clo. *Acc* —6F **23**
Glen Rd. *Ross* —5B **30**
Glenroy Av. *Col* —2G **5**
Glenshiels Av. *Hodd* —4J **27**
Glen Sq. *Burn* —7A **10**
Glen St. *Bacup* —5G **31**
Glen St. *Burn* —4K **9**
Glen St. *Col* —2G **5**
Glen Ter. *Ross* —5B **30**

Glen, The. *B'brn* —7G **19**
Glen Vw. Rd. *Burn* —7K **9**
Glen Way. *Brier* —4B **6**
Global Way. *Dar* —1E **26**
Gloucester Av. *Acc* —1B **22**
Gloucester Av. *Clay M* —4A **16**
Gloucester Rd. *B'brn* —3B **20**
Gloucester Rd. *Rish* —6E **14**
Glynn St. *Chu* —1A **22**
Godiva St. *Burn* —1B **10**
Godley St. *Burn* —4C **10**
Goitside. *Nels* —7B **4**
Goit St. *B'brn* —3F **19**
Goldacre La. *Gt har* —1G **15**
Goldfield Av. *Burn* —4G **11**
Goldfinch Grn. *Burn* —5H **9**
Goldhey St. *B'brn* —5K **13**
Goodshaw Av. *B'brn* —4H **13**
Goodshaw Av. *Ross* —3G **25**
Goodshaw Av. N. *Ross* —2G **25**
Goodshaw Clo. *B'brn* —4H **13**
Goodshaw Fold Clo. *Raw* —2G **25**
Goodshaw Fold Rd. *Ross* —2F **25**
Goodshaw La. *Ross* —4G **25**
Goodshaw La. *Stone* —7J **23**
Goosebutts La. *Clith* —6F **3**
Goose Hill St. *Bacup* —2H **31**
Goose Ho. La. *Dar* —1E **26**
Goose La. *Traw* —6J **5**
Gordon Av. *Acc* —4B **22**
Gordon Rd. *Nels* —7A **4**
Gordonstoun Pl. *B'brn* —2F **19**
Gordon St. *Bacup* —1H **31**
Gordon St. *Burn* —3A **10**
Gordon St. *Chu* —3K **21**
Gordon St. *Clay M* —5B **16**
Gordon St. *Col* —3H **5**
Gordon St. *Dar* —2E **26**
Gordon St. *Ross* —3F **29**
Gordon St. *Wors* —4J **11**
Gorple Grn. *Wors* —5J **11**
Gorple Rd. *Wors* —5J **11**
Gorple St. *Burn* —6F **7**
Gorse Gro. *Helm* —5A **28**
Gorse Rd. *B'brn* —7E **12**
Gorse St. *B'brn* —2A **20**
Grafton Av. *Acc* —6F **23**
Grafton Av. *Burn* —4C **6**
Grafton Clo. *Dar* —3D **26**
Grafton St. Bacup —4J **31**
   (off Rockcliffe La.)
Grafton St. *B'brn* —3G **19**
Grafton St. *Clith* —5F **3**
Grafton St. *Nels* —7C **4**
Grafton Ter. Dar —3D **26**
   (off Grafton Ct.)
Grafton Vs. *Bacup* —4H **31**
Graham St. *Hodd* —4K **27**
Graham St. *Pad* —3C **8**
Granby St. *Burn* —4J **9**
Grane Pk. *Has* —3A **28**
Grane Rd. *Has* —3A **28**
Grane St. *Has* —2B **28**
Grange Av. *Barfd* —3C **4**
Grange Av. *Gt Har* —1H **15**
Grange Av. *Ross* —2H **29**
Grange Clo. *Gt Har* —1H **15**
Grange Clo. *Osw* —5B **22**
Grange Clo. *Raw* —3H **29**
Grange Cres. *Ross* —3G **29**
Grange La. *Acc* —3D **22**
Grange Rd. *B'brn* —3E **18**
Grange Rd. *Ross* —3G **29**
Grange St. *Acc* —3D **22**
Grange St. *Burn* —5K **9**
Grange St. *Clay M* —4K **15**
Grange St. *Ross* —3G **29**
Grange Ter. *Ross* —2G **29**
Grange, The. *Wilp* —3B **14**
Grantham St. *B'brn* —3E **18**
Grant Rd. *B'brn* —2E **18**
Grant St. *Acc* —2B **22**
Grant St. *Burn* —5K **9**
Granville Gdns. *Acc* —4E **22**
Granville Rd. *Acc* —5E **22**
   (in two parts)
Granville Rd. *B'brn* —7E **12**
Granville Rd. *Brier* —3D **6**
Granville Rd. *Dar* —5D **26**
Granville Rd. *Gt Har* —1J **15**

Granville St. *Brclf* —6G **7**
Granville St. *Burn* —2B **10**
Granville St. *Col* —3H **5**
Granville St. *Ross* —6A **28**
Grasmere Av. *B'brn* —3F **13**
Grasmere Av. *Pad* —1B **8**
Grasmere Clo. *Acc* —7E **16**
Grasmere Clo. *Col* —3K **5**
Grasmere Clo. *Rish* —6F **15**
Grasmere Rd. *Has* —5C **28**
Grasmere St. *Burn* —7B **6**
Grassington Dri. *Burn* —6E **6**
Grassmere Ter. *Bacup* —1H **31**
Gt. Bolton St. *B'brn* —2H **19**
Great Harwood Golf Course.
   —1A **16**
Greave Clo. *Bacup* —2K **31**
Greave Clo. *Ross* —1G **29**
Greave Clough Clo. *Bacup* —2J **31**
Greave Clough Dri. *Bacup* —2J **31**
Greave Cres. Bacup —2J **31**
   (off Greave Clough Clo.)
Greave Rd. *Bacup* —2K **31**
Greaves St. *Gt Har* —3H **15**
Greaves St. *Has* —3A **28**
Greave Ter. *Bacup* —2K **31**
Greenacre. *Lwr D* —7J **19**
Greenacre St. *Clith* —6E **2**
Green Bank. *Bacup* —5F **31**
Grn. Bank Bus. Pk. *B'brn* —1A **20**
   (in two parts)
Greenbank Rd. *Ross* —3H **29**
Greenbank Rd. *B'brn* —2A **20**
Greenbank St. *Ross* —3H **29**
Greenbank Ter. *Lwr D* —7J **19**
Grn. Bridge N. *Ross* —6A **30**
Grn. Bridge S. *Ross* —6A **30**
Greenbrook Clo. *Burn* —4E **8**
Greenbrook Rd. *Burn* —4E **8**
Greendale Av. *Ross* —4A **30**
Green Dri. *Clith* —3G **3**
Grn. End Clo. *Bacup* —2J **31**
Greenfield Av. *Clith* —5C **2**
Greenfield Rd. *Burn* —6E **10**
Greenfield Rd. *Col* —4D **4**
   (in three parts)
Greenfields. *B'brn* —6G **19**
Greenfield St. *Dar* —7G **27**
Greenfield St. *Has* —2B **28**
Greenfield St. *Raw* —2G **29**
Greenfield Ter. *Osw* —7F **21**
Greenfield Vw. *Lwr D* —6K **19**
Greenfold Dri. *Ross* —2G **25**
Greengate Clo. *Burn* —3J **9**
Green Gown. *B'brn* —4H **13**
Green Haworth Golf Course.
   —7C **22**
Grn. Haworth Vw. *Osw* —6B **22**
Greenhead Av. *B'brn* —1A **20**
Greenhead La. *Fence & Burn* —5A **6**
Green Hill. *Bacup* —4J **31**
Greenhill. *Gt Har* —2G **15**
Grn. Hill Rd. *Bacup* —4J **31**
Greenhurst Clo. *B'brn* —1G **19**
Green La. *B'brn* —4C **18**
Green La. *Pad* —2B **8**
Greenock Clo. *Burn* —6J **9**
Greenock St. *Burn* —6J **9**
Green Pk. Clo. *B'brn* —3F **19**
Greenridge Clo. *Brier* —4E **6**
Green Rd. *Col* —4F **5**
Green Row. *Live* —7E **18**
Greenside Av. *B'brn* —5D **18**
Greens La. *Bacup* —6F **31**
   (Cutler La.)
Greens La. *Bacup* —2J **31**
   (Todmorden Old Rd.)
Greens La. *Ross* —6B **28**
Greensnook La. *Bacup* —2H **31**
Greensnook M. *Bacup* —2J **31**
Greensnook Ter. *Bacup* —2J **31**
Green St. *Burn* —1C **10**
Green St. *Dar* —4E **26**
Green St. *Gt Har* —2G **15**
Green St. *Osw* —6H **21**
Green St. *Pad* —3B **8**
Green St. *Ross* —2H **29**
Green St. E. *Dar* —4E **26**

Helena St. *Burn* —5C **10**
Helm Clo. *Burn* —7J **9**
Helmcroft. *Has* —4A **28**
Helmcroft Ct. *Has* —4B **28**
Helmn Way. *Nels* —6C **4**
Helmsdale Rd. *Nels* —7D **4**
Helmshore Rd. *Holc & Helm*
—7A **28**
Helmshore Textile Mus. —5A **28**
Helston Clo. *Burn* —6G **9**
Helton Clo. *Barfd* —4A **4**
Helvellyn Dri. *Burn* —2G **9**
Hemingway Pl. *Nels* —1G **7**
Hempshaw Av. *Ross* —2G **25**
Hemp St. *Bacup* —4H **31**
Hendon Rd. *Nels* —1G **7**
Henfield Clo. *Clay M* —4B **16**
Henrietta St. *Bacup* —3H **31**
Henrietta St. *B'brn* —7F **13**
(off Johnston St.)
Henrietta Ind. Est. *Bacup*
(off Henrietta St.) —3H **31**
Henry Gdns. *Brier* —4C **6**
Henry St. *Acc* —4E **22**
Henry St. *Chu* —2K **21**
Henry St. *Clay M* —5B **16**
Henry St. *Col* —4F **5**
Henry St. *Nels* —7A **4**
Henry St. *Rish* —6G **15**
Henry St. *Ross* —3F **29**
Henry Whalley St. *B'brn* —3D **18**
Henthorn Clo. *Clith* —6D **2**
Henthorn Rd. *Clith* —7B **2**
Herbert St. *Bacup* —5F **31**
Herbert St. *B'brn* —3G **19**
Herbert St. *Burn* —5K **9**
Herbert St. *Pad* —3C **8**
Hereford Av. *Burn* —3G **9**
Hereford Clo. *Acc* —1C **22**
Hereford Dri. *Clith* —6F **3**
Hereford Rd. *B'brn* —3B **20**
Hereford Rd. *Col* —6D **4**
Hereford St. *Nels* —1D **6**
Herkomer Av. *Burn* —7K **9**
Hermitage St. *Rish* —6H **15**
Heron Clo. *B'brn* —4G **13**
Heron Ct. *Burn* —5H **9**
Heron Way. *Osw* —5K **21**
Herschel Av. *Burn* —2H **9**
Herschell St. *B'brn* —4E **18**
Hertford St. *B'brn* —3F **19**
Hesketh Clo. *Dar* —7G **27**
Hesketh St. *Gt Har* —2H **15**
Hesse St. *Dar* —5E **26**
Hetton Lea. *Barfd* —5A **4**
Hexham Clo. *Acc* —5F **23**
Heyfold Gdns. *Dar* —2D **26**
Hey Head Av. *Ross* —5C **30**
Heyhead St. *Brier* —4D **6**
Heyhurst Rd. *B'brn* —7G **13**
Heymoor Av. *Gt Har* —1J **15**
Heys Av. *Has* —2A **28**
Heys Clo. *B'brn* —6F **19**
Heys Clo. *Ross* —3J **29**
Heys Ct. *B'brn* —5F **19**
Heys Ct. *Osw* —5K **21**
Heysham Cres. *B'brn* —4J **19**
Heys La. *Dar* —3D **26**
Heys La. *Gt Har* —2J **15**
(in two parts)
Heys La. *Hodd* —5J **27**
Heys La. *Live & B'brn* —7E **18**
Heys La. *Osw* —5K **21**
Heys St. *Bacup* —3H **31**
Heys St. *Has* —2A **28**
Heys St. *Raw* —4J **29**
Hey St. *Nels* —7B **4**
Heywood St. *Gt Har* —3H **15**
Heyworth Av. *B'brn* —6F **19**
Hibson Rd. *Nels* —3E **6**
(in two parts)
Hick's Ter. *Rish* —6G **15**
Higgin St. *Burn* —5C **10**
Higgin St. *Col* —3G **5**
Higgin St. *Wors* —5J **11**
Higham St. *Pad* —1C **8**
Highbank. *B'brn* —3J **13**
Highbrake Ter. *Acc* —5F **17**
Highbury Pl. *B'brn* —6G **13**
High Clo. *Burn* —4D **8**

Higher Antley St. *Acc* —3B **22**
Higher Audley St. *B'brn* —1J **19**
Higher Avondale Rd. *Dar* —3C **26**
Higher Bank St. *B'brn* —6E **12**
Higher Barn St. *B'brn* —7K **13**
Higher Blackthorn. *Bacup* —1H **31**
Higher Booths La. *Craw* —3G **25**
Higher Causeway. *Barfd* —5A **4**
Higher Change Vs. *Bacup* —1K **31**
Higher Chu. St. *Dar* —4F **27**
Higher Cockcroft. *B'brn* —7H **13**
Higher Cft. Rd. *Lwr D* —5J **19**
Higher Cross Row. *Bacup* —2H **31**
Higher Dri. *Clay M* —4B **16**
Higher Eanam. *B'brn* —7K **13**
Higher Ga. *Acc* —6G **17**
Highergate Clo. *Hun* —5G **17**
Higher Ga. Rd. *Acc* —6G **17**
Higher Heys. *Osw* —5K **21**
Higherhouse Clo. *B'brn* —6D **18**
Higher La. *Has* —1B **28**
Higher Lawrence St. *Dar* —3D **26**
Higher London Ter. *Dar* —3F **27**
Higher Mill St. *Ross* —2G **29**
Higher Peel St. *Osw* —5J **21**
Higher Perry St. *Dar* —3F **27**
Higher Ramsgreave Rd. *Rams*
—1E **12**
Higher Reedley Rd. *Brier* —5D **6**
Higher Saxifield. *Burn* —6F **7**
Higher S. St. *Dar* —4F **27**
Higher Tentre. *Burn* —5C **10**
Higher Watermill. —5A **28**
Higher Witton Rd. *B'brn* —1E **18**
Highfield. *Bacup* —3H **31**
Highfield. *Gt Har* —2G **15**
Highfield. *Ross* —5G **25**
Highfield Av. *Burn* —6C **6**
Highfield Clo. *Osw* —5A **22**
Highfield Cres. *Barfd* —5A **4**
Highfield Cres. *Nels* —5B **4**
Highfield Gdns. *B'brn* —3H **19**
Highfield M. *Dar* —5F **27**
Highfield Pk. *Has* —3A **28**
Highfield Rd. *B'brn* —2H **19**
Highfield Rd. *Clith* —6E **2**
Highfield Rd. *Dar* —4F **27**
Highfield Rd. *Rish* —6F **15**
Highfield Rd. *Ross* —4K **29**
Highfield St. *Dar* —5F **27**
Highfield St. *Has* —3A **28**
Highgate. *Nels* —3E **6**
Highmoor. *Nels* —3G **7**
Highmoor Pk. *Clith* —5F **3**
High St. *Acc* —5A **22**
High St. *B'brn* —7H **13**
High St. *Brier* —4C **6**
High St. *Clith* —5B **2**
High St. *Col* —3H **5**
High St. *Dar* —4E **26**
High St. *Has* —1B **28**
High St. *Nels* —2E **6**
High St. *Osw* —4C **22**
High St. *Pad* —1C **8**
High St. *Rish* —6G **15**
Hightown. *Ross* —1A **30**
Hightown Rd. *Ross* —1A **30**
Higson St. *B'brn* —7G **13**
Hilary St. *Burn* —1B **10**
Hill Crest. *Bacup* —4F **31**
Hill Crest Av. *Burn* —6G **11**
Hillcrest Rd. *B'brn* —3C **18**
Hill End. *Traw* —6K **5**
Hill End La. *Ross* —4J **29**
Hillhouses. *Dar* —6E **26**
Hillingdon Rd. *Burn* —6E **6**
Hillingdon Rd. N. *Burn* —5D **6**
Hill Pl. *Nels* —3E **6**
Hill Ri. *Has* —4C **28**
Hillsborough Av. *Brier* —4E **6**
Hillside. *Burn* —7J **9**
Hillside Av. *B'brn* —4B **20**
Hillside Av. *Burn* —5D **6**
Hillside Av. *Dar* —5E **26**
Hillside Clo. *B'brn* —4B **20**
Hillside Clo. *Brier* —4D **6**
Hillside Clo. *Burn* —5F **3**
Hillside Clo. *Clith* —7E **2**
Hillside Clo. *Gt Har* —1H **15**
Hillside Dri. *Ross* —3A **30**

Hillside Gdns. *Dar* —6E **26**
Hillside Rd. *Has* —3B **28**
Hillside Vw. *Brier* —4D **6**
Hillside Wlk. *B'brn* —4B **20**
Hill St. *Acc* —3D **22**
(Hollins La.)
Hill St. *Acc* —6E **22**
(Wellington St.)
Hill St. *B'brn* —2A **20**
Hill St. *Brier* —3A **6**
(Burnley Rd.)
Hill St. *Brier* —4C **6**
(Montford Rd.)
Hill St. *Clay M* —6B **16**
Hill St. *Col* —4G **5**
Hill St. *Osw* —3J **21**
Hill St. *Pad* —2B **8**
Hill St. *Ross* —5G **25**
Hill Top. *Barfd* —4A **4**
Hilltop Dri. *Has* —6C **28**
Hilltop Rd. *Nels* —7C **4**
Hill Vw. *B'brn* —3H **13**
Hill Vw. *Ross* —4F **29**
Hilton Rd. *Dar* —5F **27**
Hilton St. *Dar* —3E **26**
Hindle Ct. *Dar* —3E **26**
Hindle Fold La. *Gt Har* —1H **15**
Hindle St. *Acc* —2C **22**
Hindle St. *Bacup* —5F **31**
Hindle St. *Dar* —3C **26**
Hindle St. *Has* —2B **28**
Hind St. *Burn* —7C **6**
Hinton St. *Burn* —5C **10**
Hippings La. *Ross* —4B **30**
Hippings Va. *Osw* —4J **21**
(off Holly St.)
Hippings Way. *Clith* —3E **2**
Hirst St. *Burn* —6C **10**
(in two parts)
Hirst St. *Pad* —1B **8**
Hobart St. *Burn* —4C **10**
Hob Grn. *Mel* —2C **12**
Hobson St. *Ross* —2F **29**
Hodder Gro. *Clith* —6C **2**
Hodder Gro. *Dar* —1C **26**
Hodder Pl. *B'brn* —6J **13**
(in two parts)
Hodder St. *Acc* —2E **22**
Hodder St. *B'brn* —6J **13**
Hodder St. *Burn* —6J **13**
Hoddlesden Fold. *Hodd* —4K **27**
Hoddlesden Rd. *Hodd* —4J **27**
Hodge Bank Pk. *Nels* —6A **4**
Hodgson St. *Dar* —4F **27**
Hodgson St. *Osw* —4K **21**
Hogarth Av. *Burn* —7K **9**
Hoghton Av. *Bacup* —4J **31**
Holbeck St. *Burn* —1B **10**
Holcombe Dri. *Burn* —4C **10**
Holcombe Rd. *Ross* —6A **28**
Holden Fold. *Dar* —2F **27**
Holden Rd. *Brier* —4B **6**
Holden Rd. *Burn* —6C **6**
Holden St. *Acc* —3C **22**
Holden St. *B'brn* —1F **19**
Holden St. *Burn* —4A **10**
Holden St. *Clith* —5F **3**
Holden Wood Dri. *Has* —4A **28**
Hole Ho. St. *B'brn* —3B **20**
Holgate St. *Brclf* —6G **7**
Holgate St. *Gt Har* —2H **15**
Holker Bus. Cen. *Col* —4E **4**
Holker St. *Col* —4E **4**
Holker St. *Dar* —5F **27**
Holland Av. *Ross* —1F **29**
Holland St. *Acc* —3A **22**
Holland St. *B'brn* —6G **13**
Holland St. *Pad* —2A **8**
Hollies Clo. *B'brn* —5C **18**
Hollies Rd. *Wilp* —1C **14**
Hollin Bank St. *Brier* —3C **6**
Hollin Bri. St. *B'brn* —3F **19**
(in two parts)
Hollin Clo. *Ross* —1B **30**
(off Foxhill Dri.)
Hollin Gro. *Ross* —1G **29**
(off Hollin La.)
Hollington St. *Col* —3K **5**
Hollin Hill. *Burn* —7C **10**

Hollin La. *Ross* —1G **29**
Hollin Mill St. *Brier* —3C **6**
Hollins Av. *Burn* —6G **11**
Hollins Clo. *Acc* —4D **22**
Hollins Gro. St. *Dar* —2D **26**
Hollins La. *Acc* —4D **22**
Hollins Rd. *Dar* —1C **26**
Hollins Rd. *Nels* —6D **4**
Hollin St. *B'brn* —3F **19**
Hollin Way. *Raw* —1G **29**
Hollin Way. *Ross* —6G **25**
Hollinwood Dri. *Raw* —7G **25**
Hollowhead Av. *Wilp* —3B **14**
Hollowhead Clo. *Wilp* —3C **14**
Hollowhead La. *B'brn & Wilp*
—3B **14**
Holly Av. *Has* —4C **28**
Holly Bank. *Acc* —4D **22**
Holly Mt. *Ross* —6A **28**
Holly St. *B'brn* —5J **13**
Holly St. *Burn* —5C **10**
Holly St. *Nels* —1G **7**
Holly St. *Osw* —4J **21**
Holly Ter. *B'brn* —4J **13**
Holly Tree Clo. *Dar* —7E **26**
Holly Tree Clo. *Ross* —7F **25**
Holly Tree Way. *B'brn* —5C **18**
Holmbrook Clo. *B'brn* —5J **19**
Holmby St. *Burn* —7C **6**
Holme Bank. *Raw* —4F **29**
Holme Cres. *Traw* —5J **5**
Holme End. *Burn* —5A **6**
Holmefield Ct. *Barfd* —5A **4**
Holme Hill. *Clith* —3E **2**
Holme La. *Has & Ross* —5D **28**
(in two parts)
Holme Lea. *Clay M* —3A **16**
Holme Rd. *Burn* —3K **9**
Holme Rd. *Clay M* —3K **15**
Holmes Dri. *Bacup* —1H **31**
Holmes La. *Bacup* —2H **31**
Holmes Sq. *Burn* —5C **10**
Holmes St. *Burn* —5C **10**
Holmes St. *Pad* —2C **8**
Holmes St. *Ross* —2H **29**
Holmes Ter. *Reed* —7F **25**
Holmes, The. *Reed* —7F **25**
Holmestrand Av. *Burn* —6F **9**
Holme St. *Acc* —2C **22**
Holme St. *Bacup* —5F **31**
Holme St. *Barfd* —6A **4**
Holme St. *Dar* —5E **26**
Holme St. *Nels* —1F **7**
Holmeswood Pk. *Ross* —5E **28**
Holme Ter. *Nels* —1D **6**
Holme Ter. *Tow F* —5E **28**
Holmsley St. *Burn* —5C **10**
Holt Mill Rd. *Ross* —5K **29**
Holt Sq. *Barfd* —3B **4**
Holt St. *Rish* —5H **15**
Holt St. *Ross* —5A **30**
Holyoake St. *Burn* —4E **8**
Homer St. *Burn* —5H **9**
Honey Hole. *B'brn* —3H **19**
Honister Rd. *Burn* —6C **6**
Honiton Av. *B'brn* —5F **19**
Hood Ho. St. *Burn* —6K **9**
Hood St. *Acc* —1D **22**
Hope St. *Acc* —3C **22**
Hope St. *Bacup* —1H **31**
Hope St. *B'brn* —7G **13**
Hope St. *Brier* —4C **6**
Hope St. *Dar* —4D **26**
Hope St. *Gt Har* —3H **15**
Hope St. *Has* —3B **28**
Hope St. *Nels* —2E **6**
Hope St. *Pad* —2C **8**
Hope St. *Raw & Ross* —4J **29**
Hope St. *Wors* —4J **11**
Hope Ter. *B'brn* —6F **13**
Hopkinson St. *Traw* —5J **5**
Hopkinson Ter. *Traw* —5J **5**
(off Skipton Rd.)
Hopwood St. *Acc* —4C **22**
Hopwood St. *B'brn* —2H **19**
Hopwood St. *Burn* —4K **9**
Horace St. *Burn* —4J **9**
Horden Rake. *B'brn* —6A **18**
Horden Vw. *B'brn* —6B **18**
Hordley St. *Burn* —4F **9**

Horeb Clo.—Kingsway

Horeb Clo. *Pad* —3C **8**
(off Victoria Rd.)
Hornby Ct. *B'brn* —1F **19**
(off Garden St.)
Hornby St. *Burn* —5B **10**
Hornby St. *Osw* —5K **21**
Horncliffe Clo. *Ross* —5E **28**
Horncliffe Heights. *Brier* —4F **7**
Horncliffe Vw. *Has* —5B **28**
Horne St. *Acc* —1D **22**
Horning Cres. *Burn* —7E **6**
Horsfall Clo. *Acc* —1C **22**
Horsfield Clo. *Col* —3J **5**
Horton Av. *Burn* —6C **6**
Howard St. *Burn* —5J **9**
Howard St. *Nels* —1D **6**
Howard St. *Rish* —6F **15**
Howarth Av. *Chu* —1A **22**
Howe Cft. *Clith* —5F **3**
Howe Wlk. *Burn* —4B **10**
Howgill Clo. *Nels* —3G **7**
Howorth Clo. *Burn* —7B **10**
Howorth Rd. *Burn* —7B **10**
Howsin St. *Burn* —1B **10**
Hoyle St. *Acc* —4A **24**
Hoyle St. *Bacup* —5G **31**
Hozier St. *B'brn* —3B **20**
Hubie St. *Burn* —3A **10**
Hud Hey Ind. Est. *Ross* —6B **24**
Hud Hey Rd. *Has* —6A **24**
Hud Rake. *Has* —7B **24**
Hudson Clo. *B'brn* —4F **13**
Hudson Pl. *B'brn* —4E **12**
Hudson St. *Acc* —4D **22**
Hudson St. *Brier* —4C **6**
Hudson St. *Burn* —5J **9**
Hufling Ct. *Burn* —6C **10**
(off Hufling La.)
Hufling La. *Burn* —7C **10**
Hugh Bus. Pk. *Ross* —5B **30**
Hughes St. *Burn* —5B **10**
Hugh Rake. *Ross* —6F **25**
Hull St. *Burn* —5C **10**
(in two parts)
Hulton Dri. *Nels* —3F **7**
Humber Sq. *Burn* —6D **6**
Humphrey St. *Burn* —5C **10**
Huncoat Ind. Est. *Acc* —6D **16**
Hunslet St. *Burn* —4C **10**
Hunslet St. *Nels* —2G **7**
Hunters Dri. *Burn* —2J **9**
Hunters Lodge. *B'brn* —4C **18**
Hunter St. *Brier* —5C **6**
Huntington Dri. *Dar* —6E **26**
Huntroyde Av. *Pad* —2A **8**
Huntroyde Clo. *Burn* —3J **9**
Hurst Cres. *Ross* —2H **29**
Hurstead St. *Acc* —7F **23**
Hurst La. *Raw & Ross* —2G **29**
Hurst Wood Av. *B'brn* —4D **18**
Hurstwood Av. *Ross* —5E **10**
Hurstwood Enterprise Pk. *Has*
—3A **28**
Hurstwood Gdns. *Brier* —5E **6**
Hurstwood La. *Wors* —6J **11**
Hurtley St. *Burn* —2B **10**
Hutch Bank Rd. *Ross* —3A **28**
Hutchinson Ct. *Dar* —4D **26**
Hutchinson St. *B'brn* —2H **19**
Huttock End La. *Bacup* —5F **31**
Hutton Dri. *Burn* —3K **9**
Hutton St. *B'brn* —7K **13**
Hyacinth Clo. *Has* —5A **28**
Hygiene. *Clay M* —5K **15**
Hynd Brook Ho. Acc —3B **22**
(off Dale St.)
Hyndburn Bri. *Clay M* —2A **16**
Hyndburn Dri. *Dar* —1B **26**
Hyndburn Rd. *Acc & Chu* —1A **22**
Hyndburn Rd. *Dar* —2K **15**
Hyndburn St. *Acc* —2A **22**
Hyndburn Ter. *Clay M* —3K **15**
Hynings, The. *Gt Har* —1G **15**
Hythe Clo. *B'brn* —4B **20**

Icconhurst Clo. *Acc* —6F **23**
Ice St. *B'brn* —5H **13**
Idstone Clo. *B'brn* —5K **19**

Ightenhill Pk. La. *Burn* —1G **9**
Ightenhill Pk. M. *Burn* —3H **9**
Ightenhill St. *Pad* —1B **8**
Ighten Rd. *Burn* —2H **9**
Imperial Gdns. *Nels* —1E **6**
(off Carr Rd.)
Inchfield. *Wors* —4J **11**
India St. *Acc* —2A **22**
India St. *Dar* —5F **27**
Industrial Cotts. *Ross* —5B **30**
(off Wood Lea Rd.)
Industrial Pl. *Bacup* —3H **31**
(off St James St.)
Industrial St. *Bacup* —3J **31**
Industry St. *Dar* —3E **26**
Infant St. *Acc* —2D **22**
Infirmary Clo. *B'brn* —3G **19**
Infirmary Rd. *B'brn* —3G **19**
Infirmary St. *B'brn* —3G **19**
Ingdene Clo. *Col* —4E **4**
Ingham St. *Barfd* —4A **4**
Ingham St. *Pad* —1C **8**
Ingleby Clo. *B'brn* —3C **20**
Inglehurst Rd. *Burn* —5G **9**
Ingle Nook. *Burn* —6G **11**
Ingleton Clo. *Acc* —3E **22**
Inkerman St. *Bacup* —3J **31**
Inkerman St. *B'brn* —6H **13**
Inkerman St. *Pad* —2B **8**
Inskip St. *Pad* —2B **8**
Institute St. *Pad* —2C **8**
Intake Cres. *Col* —2J **5**
Inverness Rd. *Dar* —5D **26**
Irene Pl. *B'brn* —7E **12**
Irene St. *Burn* —5D **10**
Iron St. *B'brn* —2G **19**
Irvine St. *Nels* —6C **4**
Irving Pl. *B'brn* —7E **12**
Irwell Ho. Ross —5A **30**
(off Cowpe Rd.)
Irwell St. *Bacup* —3H **31**
Irwell St. *Burn* —4F **9**
Irwell Ter. *Bacup* —2H **31**
Irwell Va. Rd. *Ross* —7C **28**
Isherwood St. *B'brn* —4G **19**
Isle of Man. *Rams* —4A **14**
Islington. *B'brn* —2H **19**
Islington Clo. *Burn* —6E **6**
Ivan St. *Burn* —7C **6**
Ivegate. *Col* —3G **5**
Ivinson Rd. *Dar* —2F **27**
Ivory St. *Burn* —4H **9**
Ivy Av. *Has* —2C **28**
Ivy Gro. *Ross* —2G **29**
Ivy St. *B'brn* —3G **19**
Ivy St. *Burn* —1C **10**
Ivy St. *Col* —6D **4**
Ivy St. *Ross* —5B **30**
Ivy Ter. *Dar* —7F **27**

Jacks Key Dri. *Dar* —7G **27**
Jackson St. *Burn* —2B **10**
Jackson St. *Chu* —3K **21**
Jackson St. *Clay M* —4A **16**
Jacob St. *Acc* —3D **22**
James Av. *Gt Har* —2G **15**
James St. *Acc* —5F **17**
James St. *Bacup* —6C **30**
James St. *Barfd* —4A **4**
James St. *B'brn* —7H **13**
James St. *Burn* —1B **10**
James St. *Clay M* —4A **16**
James St. *Col* —4H **5**
(off West St.)
James St. *Dar* —4D **26**
James St. *Gt Har* —2G **15**
James St. *Has* —3A **28**
James St. *Osw* —4J **21**
James St. *Rish* —6H **15**
James St. *Ross* —3G **29**
James St. W. *Dar* —4E **26**
Jannat Clo. *Acc* —3C **22**
Jasper St. *B'brn* —3J **13**
Jenny La. *Nels* —3E **6**
Jepson St. *Dar* —5E **26**
Jersey St. *B'brn* —4E **18**
Jessel St. *B'brn* —3E **18**
Jewel Holme. *Brier* —4B **6**
Jib Hill Cotts. *Burn* —6E **6**

Jobing St. *Col* —5E **4**
Jockey St. *Burn* —5H **9**
Joe Connolly Way. *Waterf* —5A **30**
Johnny Barn Clo. *Ross* —3K **29**
Johnny Barn Cotts. *Ross* —3K **29**
John o'Gaunt St. *Pad* —1B **8**
(off Guy St.)
Johnson New Rd. *Hodd* —3J **27**
Johnson Rd. *E'hill & Waters*
—1G **27**
Johnston Clo. *B'brn* —7F **13**
Johnston St. *B'brn* —7F **13**
John St. *Barfd* —4B **4**
John St. *Brier* —3C **6**
John St. *Chu* —1K **21**
John St. *Clay M* —4A **16**
John St. *Col* —4F **5**
John St. *Dar* —4D **26**
John St. *Has* —2B **28**
John St. *Osw* —5J **21**
John St. *Waterf* —4B **30**
John Wall Ct. *Clith* —5D **2**
(Bawdlands)
John Wall Ct. *Clith* —6E **2**
(Eshton Ter.)
Joiners All. *Gt Har* —2H **15**
Joiners Row. *B'brn* —2J **19**
Jonathan Clo. *Has* —5A **28**
Joseph St. *Barfd* —6A **4**
Joseph St. *Dar* —4F **27**
Jubilee Clo. *Has* —4A **28**
Jubilee Ct. *Has* —4A **28**
Jubilee M. *Has* —3A **28**
Jubilee Rd. *Chu* —1A **22**
Jubilee Rd. *Has* —3A **28**
Jubilee St. *B'brn* —1H **19**
Jubilee St. *Brclf* —6G **7**
Jubilee St. *Clay M* —6B **16**
Jubilee St. *Dar* —4E **26**
Jubilee St. *Osw* —4K **21**
Jubilee Tower. —5B **26**
Jude St. *Nels* —1E **6**
Judge Fields. *Col* —2G **5**
July St. *B'brn* —1K **19**
Junction St. *Brier* —3C **6**
Junction St. *Burn* —3J **9**
(in two parts)
Junction St. *Col* —5C **4**
Junction St. *Dar* —6F **27**
June St. *B'brn* —1K **19**
Juniper Ct. *Hun* —7F **17**
Juniper St. *Burn* —5K **13**
Juno St. *Nels* —6C **4**

Kay Fold Lodge. *B'brn* —2G **13**
Kay Gdns. *Burn* —5C **10**
Kay St. *B'brn* —2H **19**
Kay St. *Brier* —4C **6**
Kay St. *Clith* —6D **2**
Kay St. *Dar* —4F **27**
Kay St. *Osw* —5J **21**
Kay St. *Pad* —1C **8**
Kay St. *Ross* —3G **29**
Keats Clo. *Acc* —6F **23**
Keats Clo. *Col* —2G **5**
Keats Fold. *Burn* —3D **8**
Keele Wlk. *B'brn* —1J **19**
Keighley Av. *Col* —2G **5**
Keighley Rd. *Col* —3H **5**
Keighley Rd. *Traw* —6K **5**
Keirby Wlk. *Burn* —4B **10**
Keith St. *Burn* —4H **9**
Kelbrook Dri. *Burn* —7K **9**
Kelsall Av. *B'brn* —7A **14**
Kelswick Dri. *Nels* —3F **7**
Kelvin St. *Dar* —4D **26**
Kemp Ct. *B'brn* —1J **13**
Kemple Vw. *Clith* —7C **2**
Kempton Ri. *B'brn* —2J **19**
Kendal Av. *Barfd* —4A **4**
Kendal St. *B'brn* —6H **13**
Kendal St. *Clith* —4F **3**
Kendal St. *Nels* —7A **4**
Kenilworth Clo. *Pad* —2C **8**
Kenilworth Dri. *Clith* —7C **2**
Kensington Pl. *Burn* —6J **9**
Kensington St. *Nels* —2D **6**
Kent Ct. *Barfd* —4A **4**
Kent Dri. *B'brn* —4D **20**

Kentmere Clo. *Burn* —2G **9**
Kentmere Dri. *B'brn* —5B **18**
Kent St. *B'brn* —1J **19**
Kent St. *B'brn* —3A **10**
Kent Wlk. *Has* —5A **28**
Kenworthy St. *B'brn* —6J **13**
Kenyon Rd. *Brier* —2B **6**
Kenyon St. *Acc* —2D **22**
Kenyon St. *Bacup* —5K **31**
Kenyon St. *B'brn* —3B **20**
Kenyon St. *Ross* —2G **29**
Keppel Pl. *Burn* —1K **9**
Kershaw Clo. *Ross* —5G **25**
(off Burnley Rd.)
Kershaw St. *Bacup* —3H **31**
(off Union St.)
Kershaw St. *Chu* —1K **21**
Kestrel Clo. *B'brn* —4G **13**
Kestrel Dri. *Dar* —2B **26**
Keswick Clo. *Acc* —6E **16**
Keswick Dri. *B'brn* —5B **18**
Keswick St. *Burn* —7B **6**
Kew Rd. *Nels* —6C **4**
Keynsham Gro. *Burn* —3J **9**
Key Vw. *Dar* —7G **27**
Khyber St. *Col* —4F **5**
Kibble Cres. *Burn* —6D **6**
Kibble Gro. *Brier* —5E **6**
Kidder St. *B'brn* —5G **19**
Kiddrow La. *Burn* —3E **8**
Kielder Dri. *Burn* —3K **9**
Killiard La. *B'brn* —7B **12**
Killington St. *Burn* —7D **6**
Kiln Clo. *Clith* —3G **3**
Kiln Ho. Way. *Osw* —5B **22**
Kilns, The. *Burn* —7C **10**
Kiln St. *Nels* —1E **6**
Kiln Ter. Bacup —5F **31**
(off Holme St.)
Kimberley Clo. *Brclf* —6G **7**
Kimberley St. *Bacup* —6C **30**
Kimberley St. *Brclf* —6G **7**
Kimble Bank. *Brier* —5E **6**
Kimble Gro. *Brier* —5E **6**
Kime St. *Burn* —4H **9**
King Edward St. *Osw* —5H **21**
King Edward Ter. *Barfd* —6A **4**
Kingfisher Bank. *Burn* —6G **9**
Kingfisher Clo. *B'brn* —4H **13**
Kingfisher Ct. *Osw* —5K **21**
King La. *Clith* —5E **2**
Kings Av. *Ross* —4G **29**
King's Bri. Clo. *B'brn* —4E **18**
King's Bri. St. *B'brn* —4E **18**
Kingsbridge Wharf. *B'brn* —4E **18**
Kingsbury Pl. *Burn* —6E **6**
King's Causeway. *Brier* —4E **6**
Kingsdale Av. *Burn* —6C **6**
Kings Dri. *Hodd* —4K **27**
Kings Dri. *Pad* —4C **8**
King's Highway. *Acc* —6G **17**
(in two parts)
King's Highway. *Stone & Has*
—5J **23**
Kingsland Gro. *Burn* —6C **10**
Kingsland Rd. *Burn* —7C **10**
Kingsley Av. *Pad* —3D **8**
Kingsley Clo. *Chu* —1A **22**
Kingsley St. *Nels* —6C **4**
Kingsmead. *B'brn* —4C **20**
King's Rd. *Acc* —7C **16**
King's Rd. *B'brn* —5E **18**
Kingston Av. *Acc* —4B **22**
Kingston Cres. *Ross* —6A **28**
Kingston Pl. *Lwr D* —6H **19**
King St. *Acc* —2C **22**
King St. *Bacup* —3H **31**
King St. *B'brn* —1G **19**
King St. *Brclf* —6G **7**
King St. *Brier* —4B **6**
King St. *Chu* —2K **21**
King St. *Clay M* —5A **16**
King St. *Clith* —5E **2**
King St. *Col* —3H **5**
King St. *Gt Har* —2H **15**
King St. *Has* —1B **28**
King St. *Pad* —2B **8**
King St. *Waterf* —5A **30**
King St. Ter. *Brier* —4B **6**
Kingsway. *Acc* —6G **17**

Kingsway. *Burn* —4B **10**
Kingsway. *Chu* —7B **16**
Kingsway. *Gt Har* —1A **16**
Kingsway. *Hap* —7B **8**
Kingsway. *Lwr D* —6K **19**
King William St. *B'brn* —7H **13**
Kinross Clo. *B'brn* —1K **19**
Kinross St. *Burn* —5J **9**
Kinross Wlk. B'brn —1K **19**
(off William Hopwood St.)
Kipling Pl. *Gt Har* —3G **15**
Kirby Rd. *B'brn* —4G **19**
Kirby Rd. *Nels* —1C **6**
Kirk Av. *Clith* —5C **2**
Kirkdale Av. *Ross* —4A **30**
Kirkdale Clo. *Dar* —7G **27**
Kirkfell Dri. *Burn* —2H **9**
Kirkgate. *Burn* —6B **10**
Kirkhill Av. *Has* —3C **28**
Kirk Ho. *Chu* —2K **21**
Kirkmoor Clo. *Clith* —4D **2**
Kirkmoor Rd. *Clith* —4D **2**
Kirk Rd. *Chu* —1K **21**
Kirkstone Av. *B'brn* —5B **18**
Kirk Vw. *Ross* —4C **30**
Knight Cres. *Lwr D* —7K **19**
Knighton Av. *B'brn* —4F **13**
Knightsbridge Av. *Col* —3E **4**
Knott Mt. *Col* —5F **5**
Knotts Dri. *Col* —5F **5**
Knotts La. *Burn* —4D **8**
Knotts La. *Col* —4F **5**
Knott St. *Dar* —4E **26**
Knowle La. *Dar* —2E **26**
Knowlesly Meadows. *Dar* —7G **27**
Knowlesly Rd. *Dar* —7F **27**
Knowles St. *Rish* —6G **15**
Knowl Gap Av. *Has* —4A **28**
Knowl Mdw. *Ross* —6A **28**
Knowlmere St. *Acc* —1C **22**
Knowsley Pk. Way. *Has* —5B **28**
Knowsley Rd. *B'brn & Wilp*
　　　　　　　　　　　—3B **14**
Knowsley Rd. *Has* —4B **28**
Knowsley Rd. Ind. Est. *Has* —4B **28**
Knowsley Rd. W. *Clay D* —2A **14**
Knowsley St. *Col* —4G **5**
Knunck Knowles Dri. *Clith* —4E **2**
Kyan St. *Burn* —7C **6**

Laburnham Cotts. *Good* —3G **25**
Laburnum Clo. *Burn* —6J **9**
Laburnum Cotts. *Burn* —2F **9**
Laburnum Dri. *Osw* —5A **22**
Laburnum Rd. *B'brn* —4K **13**
Laburnum Rd. *Ross* —6A **28**
Lacey Ct. *Has* —2B **28**
Lachman Rd. *Traw* —5J **5**
Ladbrooke Gro. *Burn* —7K **9**
Lady Av. *Lwr D* —7K **19**
Laithe St. *Burn* —6A **10**
Laithe St. *Col* —4F **5**
Lakeland Way. *Burn* —2G **9**
Lake Vw. Rd. *Col* —1G **5**
Lambert St. *Traw* —6K **5**
Lambeth Clo. *B'brn* —1K **19**
Lambeth St. *B'brn* —7K **13**
Lambeth St. *Col* —3K **5**
Lambton Gates. *Ross* —3J **29**
Lamlash Rd. *B'brn* —4C **20**
Lammack Rd. *B'brn* —3F **13**
Lanark St. *Burn* —6J **9**
Lancaster Av. *Acc* —1B **22**
Lancaster Av. *Has* —5A **28**
Lancaster Dri. *Clay M* —4A **16**
Lancaster Dri. *Clith* —6C **2**
Lancaster Dri. *Pad* —4C **8**
Lancaster Ga. *Nels* —2D **6**
Lancaster Pl. *B'brn* —7E **12**
Lancaster St. *B'brn* —1F **19**
Lancaster St. *Col* —3G **5**
Lancaster St. *Osw* —5H **21**
Lancing Pl. *B'brn* —2F **19**
Landless St. *Brier* —4B **6**
Landseer Clo. *Burn* —7K **9**
Lane End La. *Bacup* —4J **31**
Lane End Rd. *Bacup* —5J **31**

Lane Ends. *Nels* —3E **6**
Lane Head La. *Bacup* —2H **31**
Lane Ho. *Traw* —6K **5**
Lane Ho. Clo. *B'brn* —5E **18**
Laneshaw Dri. *Dar* —1C **26**
Laneside. *Alt* —1E **16**
Laneside Av. *Acc* —7C **16**
Laneside Clo. *Has* —4C **28**
Laneside Ct. *Ross* —3H **29**
Laneside Rd. *Has* —3C **28**
Langdale Av. *Clith* —6C **2**
Langdale Av. *Ross* —3G **28**
Langdale Clo. *Acc* —6E **16**
Langdale Clo. *B'brn* —5B **18**
Langdale Ri. *Col* —2J **5**
Langdale Rd. *B'brn* —6A **18**
Langdale Rd. *Pad* —1H **8**
Langden Brook Sq. *B'brn* —2K **19**
Langfield. *Wors* —4J **11**
Langford St. *Acc* —7F **23**
Langham Av. *Acc* —7C **16**
Langham Rd. *B'brn* —5G **13**
Langham St. *Burn* —4G **9**
Langholme St. *Nels* —2F **7**
Langho St. *B'brn* —4F **19**
Langroyd M. Col —1H **5**
(off Croft, The)
Langroyd Rd. *Col* —2H **5**
Langshaw Dri. *Clith* —7E **2**
Lang St. *Acc* —2B **22**
Langwyth Rd. *Burn* —5F **11**
Lansbury Pl. *Nels* —6C **4**
Lansdowne Dri. *Burn* —6K **9**
Lansdowne St. *B'brn* —2E **18**
Larch Clo. *B'brn* —5C **18**
Larch Clo. *Ross* —5F **29**
Larches, The. *B'brn* —5J **13**
Larch Rd. *Osw* —5A **22**
Larch St. *B'brn* —6K **13**
Larch St. *Burn* —3H **9**
Larch St. *Nels* —1G **7**
Largs Rd. *B'brn* —6B **20**
Larkhill. *B'brn* —7J **13**
Lark Hill. *Ross* —2G **29**
Larkhill Av. *Burn* —4D **6**
Larkspur Clo. *B'brn* —5A **18**
Lark St. *Burn* —3H **9**
Lark St. *Col* —2H **5**
Lark St. *Dar* —7F **27**
Latham St. *Burn* —1C **10**
Laund Clough Nature Reserve.
　　　　　　　　　　　—5F **23**
Laund Gro. *Acc* —5F **23**
Laund Hey Vw. *Has* —4B **28**
Laund La. *Has* —2C **28**
Laund Rd. *Acc* —5E **22**
Laund St. *Ross* —1F **29**
Laurel Av. *Dar* —3F **27**
Laurel St. *Bacup* —2H **31**
Laurel St. *Burn* —6C **10**
Laurier Rd. *Burn* —7C **6**
(in two parts)
Lavender Hill. *Ross* —4F **29**
Lawley Rd. *B'brn* —7D **12**
Lawn St. *Burn* —2B **10**
Lawrence Av. *Burn* —6H **9**
(in two parts)
Lawrence St. *B'brn* —1F **19**
(in two parts)
Lawrence St. *Pad* —1C **8**
Lawrence St. *Ross* —1B **30**
Lawson St. *Burn* —4G **25**
Law St. *Ross* —4B **30**
Laxey Rd. *B'brn* —4H **19**
Lea Bank. *Ross* —3K **29**
Leach St. *B'brn* —3H **19**
Leach St. *Col* —4F **5**
Leacroft. *Lwr D* —7K **19**
Lea Dri. *B'brn* —4B **13**
Leamington Av. *Burn* —1D **10**
Leamington Rd. *B'brn* —6E **12**
Leamington St. *Nels* —2F **7**
Leaver St. *Burn* —5F **9**
Lebanon St. *Burn* —5D **10**
Lee Brook Clo. *Ross* —1G **29**
Leebrook Rd. *Ross* —1F **29**
Lee Ct. *Dar* —1C **26**
Leeds Clo. *B'brn* —1K **19**
Leeds Rd. *Nels* —1F **7**
(in two parts)

Lee Grn. St. Burn —2B **10**
(off North St.)
Lee Gro. *Burn* —6G **11**
Lee La. *Rish* —4F **15**
Lee Rd. *Bacup* —5G **31**
Lee Rd. *Nels* —6C **4**
Lee's St. *Bacup* —5K **31**
Lee St. *Acc* —2D **22**
Lee St. *Bacup* —3H **31**
Lee St. *Barfd* —5A **4**
Lee St. *Burn* —2B **10**
Lee St. *Ross* —1B **30**
Leeward Clo. *Lwr D* —7J **19**
Leicester Rd. *B'brn* —3B **20**
Leicester Wlk. *Has* —5B **28**
Leigh Pk. *Hap* —7B **8**
Lemonius St. *Acc* —4D **22**
Lenches Fold. *Col* —5G **5**
Lenches Rd. *Col* —5G **5**
Lench Rd. *Ross* —5K **29**
Lench St. *Ross* —5B **30**
Lennox St. *Wors* —4H **11**
Leonard St. Bacup —5E **30**
(off Booth Rd.)
Leonard St. Bacup —5D **30**
(off West Vw.)
Leonard St. *Nels* —2F **7**
Leonard Ter. *Waters* —2J **27**
Leopold Rd. *B'brn* —6E **12**
Leopold St. *Col* —4E **4**
Leopold Way. *B'brn* —5K **19**
Levant St. *Pad* —3B **8**
Leven Gro. *Dar* —1C **26**
Levens Clo. *B'brn* —5J **19**
Leven St. *Burn* —6C **10**
Lever St. *Ross* —3H **29**
Lewis St. *Gt Har* —2J **15**
Leyburn Clo. *Acc* —3F **23**
Leyburn Rd. *B'brn* —6E **18**
Leyland Clo. *Traw* —5J **5**
Leyland Rd. *Burn* —4C **10**
Leyland St. *Acc* —3A **22**
Ley St. *Acc* —6F **23**
Library St. *Chu* —2K **21**
Liddesdale Rd. *Nels* —6E **4**
Liddington Clo. *B'brn* —5K **19**
Lidgett. *Col* —3K **5**
Lightbown Cotts. Dar —3B **26**
(off Sunnyhurst La.)
Lightbown St. *Dar* —2E **26**
Lilac Av. *Has* —2B **28**
Lilac Gro. *Clith* —6C **2**
Lilac Gro. *Dar* —2F **27**
Lilac Rd. *B'brn* —4K **13**
Lilac St. *Col* —2J **5**
Lilac Ter. *Bacup* —5F **31**
Lilford Rd. *B'brn* —6G **13**
Lily St. *Bacup* —3H **31**
Lily St. *Dar* —4F **27**
Lily St. *Nels* —3G **7**
Limbrick. *B'brn* —6H **13**
Lime Av. *Osw* —6J **21**
Limefield Av. *Brier* —3D **6**
Limefield Ct. *B'brn* —7E **12**
Limefield St. *Acc* —3E **22**
Lime Rd. *Acc* —1C **22**
Lime Rd. *Has* —2C **28**
Limers La. *Gt Har* —2F **15**
Limes Av. *Dar* —5D **26**
Lime St. *B'brn* —6H **13**
Lime St. *Clith* —4F **3**
Lime St. *Col* —2H **5**
Lime St. *Gt Har* —1H **15**
Lime St. *Nels* —1D **6**
Lime Tree Gro. *Ross* —1G **29**
Limewood Clo. *Acc* —2E **22**
Lina St. *Acc* —2A **22**
Linby St. *Burn* —5C **10**
Lincoln Av. *B'brn* —4A **20**
Lincoln Ct. *Chu* —1B **22**
Lincoln Pl. *Has* —2A **28**
Lincoln Rd. *B'brn* —4A **20**
Lincoln St. *Burn* —6B **10**
Lincoln St. *Has* —2A **28**
Lincoln Way. *Clith* —3G **3**
Lindadale Av. *Acc* —5B **22**
Lindadale Clo. *Acc* —5B **22**
Lindale Cres. *Burn* —7B **6**
Linden Av. *B'brn* —6G **13**
Linden Cres. *Dar* —3F **27**

Linden Dri. *Clith* —6F **3**
Linden Lea. *B'brn* —5C **18**
Linden Lea. *Raw* —5F **29**
Linden Rd. *Col* —3G **5**
Linden St. *Burn* —5C **10**
Lindisfarne Av. *B'brn* —4J **19**
Lindisfarne Clo. *Burn* —3K **9**
Lindley St. *B'brn* —3E **18**
Lindon Pk. Rd. *Has* —6C **28**
Lindred Rd. *Brier* —2B **6**
Lindsay Pk. *Burn* —5G **11**
Lindsay St. *Burn* —4B **10**
Lindsey Ho. *Chu* —1B **22**
Linedred La. *Brier* —2C **6**
Line St. *Bacup* —5G **31**
Lingfield Av. *Clith* —7E **2**
Lingfield Ct. *Fen* —5A **18**
Lingfield Way. *B'brn* —5A **18**
Lingmoor Dri. *Burn* —2F **9**
Linkside Av. *Burn* —1J **7**
Linton Dri. *Burn* —7J **9**
Linton Gdns. *Barfd* —5A **4**
Lion Ct. *Chu* —2K **21**
Lionel St. *Burn* —3H **9**
Lion St. *Chu* —1K **21**
Lisbon Dri. *Burn* —5K **9**
Lisbon Dri. *Dar* —4G **27**
Lister St. *Acc* —2B **22**
Lister St. *B'brn* —1H **19**
Littlemoor. *Clith* —7E **2**
Littlemoor Rd. *Clith* —7E **2**
Lit. Moor Vw. *Clith* —7E **2**
Lit. Peel St. *B'brn* —7G **13**
Lit. Queen St. *Col* —4F **5**
Little St. *Acc* —2B **22**
Lit. Toms La. *Burn* —6E **6**
Littondale Gdns. *B'brn* —6A **18**
Liverpool Rd. *Burn* —4F **9**
Livesey Branch Rd. *B'brn & Fen*
　　　　　　　　　　　—5A **18**
Livesey Ct. *B'brn* —3F **19**
Livesey Fold. *Dar* —3D **26**
Livesey Hall Clo. *B'brn* —4B **18**
Livesey St. *Pad* —2B **8**
Livesey St. *Rish* —5F **15**
(in two parts)
Livingstone Rd. *Acc* —7C **16**
Livingstone Rd. *B'brn* —1E **18**
Livingstone St. *Brier* —4C **6**
Livingstone Wlk. *Brier* —3C **6**
Lloyd Clo. *Nels* —1F **7**
Lloyd St. *Bacup* —5E **30**
Lloyd St. *Dar* —2D **26**
Lloyd Wlk. *Nels* —2F **7**
Lock Ga. *Ross* —4C **28**
Lockside. *B'brn* —3G **19**
Lock St. *Osw* —4K **21**
Lockyer Av. *Burn* —4G **9**
Lodge La. *Bacup* —4H **31**
Lodgeside. *Clay M* —4A **16**
Lodge St. *Acc* —2D **22**
Lodge Ter. *Acc* —3K **21**
Logwood St. *B'brn* —5J **13**
Lois Pl. *B'brn* —7F **13**
Lomas La. *Ross* —4F **29**
Lomax Sq. *Gt Har* —2J **15**
Lomax St. *Dar* —3E **26**
Lomax St. *Gt Har* —2H **15**
Lomeshaye Bus. Village. *Nels* —1D **6**
Lomeshaye Ind. Est. *Nels* —1C **6**
(Churchill Way)
Lomeshaye Ind. Est. *Nels* —1B **6**
(Lindred Rd.)
Lomeshaye Pl. *Nels* —1D **6**
Lomeshaye Rd. *Nels* —1D **6**
Lomeshaye Way. *Nels* —1D **6**
Lomond Gdns. *B'brn* —4C **18**
London Rd. *B'brn* —6H **13**
London Ter. *Dar* —3F **27**
London Wlk. *B'brn* —6H **13**
Long Clo. *Clith* —3F **3**
Long Dike. *Ross & Acc* —7K **23**
Long Hey La. *Pick B* —4K **27**
Longholme Rd. *Raw* —3G **29**
Long Mdw. *Col* —3K **5**
Longridge Heath. *Brier* —5E **6**
Long Row. *Mel* —2E **12**
Longshaw La. *B'brn* —3G **19**
Longshaw St. *B'brn* —4G **19**
Longsight Av. *Acc* —7F **17**

Longsight Av. *Clith* —4F **3**
Longsight Rd. *Mel B & Clay D*
    —1A **12**
Longton Clo. *B'brn* —3B **20**
Longton Rd. *Burn* —2K **9**
Longton St. *B'brn* —3A **20**
Longworth Av. *Burn* —4E **10**
Lonsdale Gdns. *Barfd* —5A **4**
Lonsdale St. *Acc* —3A **22**
Lonsdale St. *Dar* —3H **9**
Lonsdale St. *Nels* —1G **7**
Lord Av. *Bacup* —5E **30**
Lord's Cres. *Lwr D* —7K **19**
Lord Sq. *B'brn* —7H **13**
Lord St. *Acc* —2C **22**
Lord St. *Bacup* —3H **31**
Lord St. *B'brn* —7H **13**
Lord St. *Brier* —4C **6**
Lord St. *Col* —3F **5**
Lord St. *Craw* —5F **25**
Lord St. *Dar* —3E **26**
Lord St. *Gt Har* —3H **15**
Lord St. *Osw* —4K **21**
Lord St. *Raw* —3G **29**
Lord St. *Rish* —6G **15**
Lord St. Mall. B'brn —*7H* **13**
  (off Lord Sq.)
Lord St. W. *B'brn* —7H **13**
Lorne St. *Dar* —3D **26**
Lorton Clo. *Burn* —2G **9**
Lothersdale Clo. *Burn* —6E **6**
Lottice La. *B'brn & Osw* —7E **20**
Lotus St. Bacup —*2H* **31**
  (off Burnley Rd.)
Loughrigg Clo. *Burn* —3G **9**
Loveclough Rd. *Ross* —2F **25**
Lovely Hall La. *Sale* —1A **14**
Lovers La. *Has* —1B **28**
Lover's Wlk. *Acc* —5A **22**
Low Bank. *Burn* —4D **8**
Lwr. Antley St. *Acc* —3A **22**
Lwr. Ashworth Clo. *B'brn* —1F **19**
Lwr. Aspen La. *Osw* —3H **21**
Lwr. Audley Ind. Est. *B'brn*
    —1H **19**
Lwr. Audley St. *B'brn* —1H **19**
Lwr. Barnes St. *Clay M* —3K **15**
Lwr. Barn St. *Dar* —6G **27**
Lwr. Clough St. *Barfd* —6A **4**
Lwr. Clowes St. *Ross* —5F **29**
Lwr. Clowes Rd. *Ross* —5E **28**
Lwr. Cockcroft. *B'brn* —7H **13**
Lwr. Cribden Av. *Ross* —3D **28**
Lwr. Cross St. *Dar* —4E **26**
Lwr. Eccleshill Rd. *Dar* —7K **19**
  (in two parts)
Lowerfields. *Burn* —4E **8**
Lowerfold. *Gt Har* —1H **15**
Lowerfold Rd. *Gt Har* —1H **15**
Lowergate. *Clith* —5E **2**
Lwr. Gate Rd. *Acc* —5G **17**
Lwr. Hazel Clo. *B'brn* —1F **19**
Lwr. Hollin Bank St. *B'brn* —2G **19**
Lowerhouse Cres. *Burn* —4F **9**
Lowerhouse Fold. *Burn* —4E **8**
Lowerhouse La. *Burn* —4E **8**
Lower La. *Has* —1B **28**
Lwr. Manor La. *Burn* —7A **6**
Lwr. Mead Dri. *Burn* —7A **6**
Lwr. Philips Rd. *Whi I* —7B **14**
Lwr. Ridge Clo. *Burn* —4C **10**
Lwr. Rosegrove La. *Burn* —5E **8**
Lwr. School St. Col —*4G* **5**
  (off School St.)
Lwr. Tentre. *Burn* —5C **10**
Lwr. Timber Hill La. *Burn* —7B **10**
Lwr. Wilworth. *B'brn* —3H **13**
Lwr. Wood Bank. Dar —*3C* **26**
  (off Higher Avondale Rd.)
Loweswater Cres. *Burn* —2G **9**
Lowe Vw. *Ross* —4B **30**
Low Hill. *Dar* —7E **26**
Lowood Pl. *B'brn* —6D **12**
Lowther Pl. *B'brn* —4K **13**
Lowther St. *Col* —2H **5**
Lowther St. *Nels* —1D **6**
Lowthwaite Dri. *Nels* —3F **7**
Loynd St. *Gt Har* —2H **15**
Lubbock St. *Burn* —4H **9**
Lucy St. *Barfd* —5A **4**

Luke St. *Bacup* —5E **30**
Lumb Holes La. *Ross* —6A **30**
Lumb La. *Ross* —1B **30**
Lumb Scarr. *Bacup* —3H **31**
Lund St. *B'brn* —1F **19**
Lune St. *Col* —4H **5**
Lune St. *Pad* —2C **8**
Lupin Clo. *Acc* —1B **22**
Lupin Rd. *Acc* —1C **22**
Lupton Dri. *Barfd* —4A **4**
Lutner St. *Burn* —5B **10**
Lych Ga. *Wadd* —1B **2**
Lydgate. *Burn* —7F **7**
Lydia St. *Acc* —4C **22**
Lyndale Av. *Has* —3B **28**
Lyndale Av. *Wilp* —1C **14**
Lyndale Clo. *Ross* —5G **25**
Lyndale Clo. *Wilp* —1C **14**
Lyndale Rd. *Hap* —7B **8**
Lyndhurst Av. *B'brn* —3D **20**
Lyndhurst Gro. *Gt Har* —1K **15**
Lyndhurst Rd. *B'brn* —3H **19**
Lyndhurst Rd. *Burn* —5C **10**
Lyndhurst Rd. *Dar* —2C **26**
  (in two parts)
Lyndon Av. *Gt Har* —1K **15**
Lyndon Ct. *Gt Har* —1K **15**
Lyndon Ho. *Gt Har* —1K **15**
Lynfield Rd. *Gt Har* —1K **15**
Lynthorpe Rd. *B'brn* —3H **19**
Lynthorpe Rd. *Nels* —7D **4**
Lynton Rd. *Acc* —4A **22**
Lytham Rd. *B'brn* —5J **19**
Lytham Rd. *Burn* —7D **6**
Lytton St. *Burn* —3E **8**

M
Mabel St. *Col* —3J **5**
Macauley St. *Burn* —5H **9**
Macleod St. *Nels* —1E **6**
Maden Clo. *Bacup* —3H **31**
Maden Rd. *Bacup* —3F **31**
Maden St. *Chu* —2K **21**
Magpie Clo. *Burn* —5H **9**
Maiden St. *Ross* —6B **24**
Maitland Pl. *Ross* —4G **29**
Maitland St. *Bacup* —3H **31**
Major St. *Acc* —4C **22**
Major St. *Ross* —5G **25**
Malham Av. *Acc* —4A **22**
Malham Rd. *Burn* —6E **6**
Malham Wend. *Barfd* —5A **4**
Malkin Clo. *Black* —1B **4**
Mallard Pl. *Osw* —5J **21**
Mall, The. *Burn* —4B **10**
Malta St. *Dar* —5F **27**
Malt St. *Acc* —1C **22**
Malvern Av. *B'brn* —4G **19**
Malvern Av. *Osw* —5K **21**
Malvern Av. *Pad* —4C **8**
Malvern Clo. *Acc* —1B **22**
Malvern Rd. *Nels* —7C **4**
Malvern Way. *Ross* —6A **28**
Manchester Rd. *Acc* —3D **22**
Manchester Rd. *Dunn* —7H **5**
Manchester Rd. *Hap & Pad* —6B **8**
Manchester Rd. *Has* —2B **28**
Manchester Rd. *Nels* —2D **6**
Mancknols St. *Nels* —2G **7**
Mancknols Walton Cottage Homes,
    The. *Nels* —1J **7**
Mandela Ct. B'brn —5E **12**
  (off Wimberley St.)
Manitoba St. *B'brn* —4E **12**
Manner Sutton St. *B'brn* —7J **13**
Manor Brook. *Acc* —2D **22**
Manor Pl. *Chu* —1A **22**
Manor Rd. *B'brn* —7E **12**
Manor Rd. *Burn* —3G **9**
Manor Rd. *Clith* —6D **2**
Manor Rd. *Col* —1H **5**
Manor Rd. *Dar* —5D **26**
Manor St. *Acc* —1D **22**

Manor St. *Bacup* —4H **31**
Manor St. *Nels* —2G **7**
Mansergh St. *Burn* —7D **6**
Mansfield Cres. *Brier* —3D **6**
Mansfield Gro. *Brier* —3D **6**
Mansion St. S. *Acc* —2E **22**
Manxman Rd. *B'brn* —4H **19**
Maple Av. *Clith* —6D **2**
Maple Av. *Has* —2C **28**
Maple Bank. *Burn* —3D **10**
Maple Clo. *Clay D* —2A **14**
Maple Cres. *Rish* —7G **15**
Maple Dri. *Osw* —5A **22**
Maple St. *B'brn* —5K **13**
Maple St. *Clay M* —5A **16**
Maple St. *Gt Har* —1J **15**
Maple St. *Rish* —6G **15**
Marabou Dri. *Dar* —2B **26**
Marble St. *Osw* —4K **21**
March St. *Burn* —2A **10**
Margaret St. *B'brn* —4C **20**
Margaret St. *Osw* —6H **21**
Margaret St. *Ross* —1F **29**
Maria Ct. Burn —*6B* **10**
  (off Glebe St.)
Maria St. *Dar* —7F **27**
Maricourt Av. *B'brn* —3C **20**
Marine Av. *Burn* —6H **9**
Market Av. *B'brn* —7H **13**
Market Pl. *Clith* —5E **2**
Market Pl. *Col* —3H **5**
Mkt. Promenade. *Burn* —4B **10**
Market Sq. *Burn* —4B **10**
Market Sq. *Nels* —1E **6**
Market St. *Bacup* —4H **31**
Market St. *Chu* —3K **21**
Market St. *Col* —3H **5**
Market St. *Dar* —4E **26**
Market St. *Nels* —1E **6**
Market St. *Ross* —5A **30**
Market St. La. *B'brn* —1H **19**
Market Way. B'brn —*7H* **13**
  (off Blackburn Shop. Cen.)
Markham Rd. *B'brn* —2E **18**
Markross St. *Ross* —3G **29**
Mark St. *Bacup* —5E **30**
Mark St. *Burn* —1C **10**
Marlborough Rd. *Acc* —7C **16**
Marlborough St. *Burn* —5A **10**
Marles Ct. Burn —*2C* **10**
  (off Pheasantford Grn.)
Marlin St. *Nels* —6C **4**
Marlowe Av. *Acc* —6F **23**
Marlowe Av. *Pad* —3D **8**
Marlowe Cres. *Gt Har* —3G **15**
Marl Pits. *Ross* —2H **29**
Marlton Rd. *B'brn* —3G **19**
Marquis Clo. *Lwr D* —6J **19**
Marsden Ct. *Burn* —6D **6**
Marsden Cres. *Nels* —1H **7**
Marsden Dri. *Brier* —3E **6**
Marsden Gro. *Brier* —4D **6**
Marsden Hall Rd. *Nels* —1H **7**
Marsden Hall Rd. N. *Nels* —7D **4**
Marsden Hall Rd. S. *Nels* —1H **7**
Marsden Height Clo. *Brier* —4F **7**
Marsden Pk. Golf Course. —1K **7**
Marsden Pl. *Nels* —1H **7**
Marsden Rd. *Burn* —6D **6**
Marsden Sq. *Has* —1B **28**
Marsden St. *Acc* —4C **22**
Marsden St. *B'brn* —1H **19**
Marsden St. *Has* —2A **28**
Marshall Av. *Acc* —5G **17**
Marsham Gro. *Dar* —4G **27**
Marsh Ho. La. *Dar* —4F **27**
Marsh St. *B'brn* —6H **13**
Marsh Ter. *Dar* —3E **26**
Martholme Av. *Clay M* —4B **16**
Martin Cft. Rd. *Has* —7A **24**
Martindale Clo. *B'brn* —6B **20**
Martin Dri. *Dar* —7G **27**
Martinfields. *Burn* —2E **10**
Martinique Dri. *Lwr D* —7J **19**
Martin St. *Burn* —1C **10**
Marton St. *Burn* —7K **9**
Marton Wlk. *Dar* —7F **27**
Maryport Clo. *B'brn* —5J **19**
Mary St. *B'brn* —1K **19**
Mary St. *Burn* —5C **10**

Mary St. *Col* —4F **5**
Mary St. *Dar* —5F **27**
Mary St. *Rish* —6G **15**
Masefield Av. *Pad* —3D **8**
Masefield Clo. *Gt Har* —3G **15**
Mason St. *Acc* —2D **22**
Mason St. *Col* —3G **5**
Mason St. *Osw* —5J **21**
Massey La. *Brier* —4B **6**
Massey St. *Brier* —5B **6**
Massey St. *Burn* —4B **10**
  (in two parts)
Mather Av. *Acc* —7C **16**
Matlock Gro. *Burn* —7D **6**
Matlock St. *Dar* —3C **26**
Matthew Clo. *Col* —4H **5**
Matthew St. *B'brn* —3E **18**
Maudsley St. *Acc* —2D **22**
Maudsley St. *B'brn* —7J **13**
Maud St. *Barfd* —6A **4**
Maurice St. *Nels* —1D **6**
Mavis Rd. *B'brn* —7D **12**
Maybury Av. *Burn* —3G **9**
Mayfair Clo. *Ross* —6A **28**
Mayfair Cres. *Wilp* —3B **14**
Mayfair Rd. *Burn* —5F **11**
Mayfair Rd. *Nels* —7D **4**
Mayfield Av. *Clith* —6F **3**
Mayfield Av. *Has* —4A **28**
Mayfield Av. *Osw* —4K **21**
Mayfield Flats. *Dar* —6F **27**
Mayfield Fold. *Burn* —7C **10**
Mayfield Gdns. *Osw* —4A **22**
Mayfield Rd. *Rams* —4A **14**
Mayfield St. *B'brn* —2H **19**
Mayflower St. *B'brn* —3E **18**
Mayson St. *B'brn* —1H **19**
May St. *Barfd* —6A **4**
May St. *B'brn* —1K **19**
May St. *Burn* —6C **10**
May St. *Nels* —6C **4**
Mayville Rd. *Brier* —3C **6**
McAuley Mt. *Burn* —2F **9**
Meadoway. *Chu* —1A **22**
Meadow Bank. *Acc* —1D **22**
Mdw. Bank Av. *Burn* —4C **6**
Meadow Bank Rd. *Nels* —1E **6**
Meadow Clo. *Burn* —5C **6**
Meadow Clo. *Hun* —6G **17**
Meadow Ct. Osw —*4K* **21**
  (off Haworth St.)
Meadowcroft. *Lwr D* —7K **19**
Meadowcroft Clo. *Raw* —7G **25**
Meadowfields. *B'brn* —6G **15**
Meadow Gdns. *Rish* —6G **15**
Meadow Ga. *Dar* —3F **27**
Meadowhead. *Rish* —6G **15**
Mdw. Head Clo. *B'brn* —4D **18**
Meadowhead Dri. *Rish* —6H **15**
Mdw. Head La. *Dar* —1A **26**
Meadowlands. *Clith* —5C **2**
Meadow Ri. *B'brn* —5D **18**
Meadows Av. *Bacup* —1H **31**
Meadows Av. *Has* —3C **28**
Meadowside Av. *Clay M* —4K **15**
Meadows, The. *Burn* —2J **9**
Meadows, The. *Col* —2G **5**
Meadows, The. *Dar* —1C **26**
Meadows, The. *Osw* —5A **22**
Meadow St. *Acc* —2D **22**
Meadow St. *Burn* —4A **10**
Meadow St. *Dar* —6F **27**
Meadow St. *Gt Har* —3H **15**
Meadow St. *Pad* —1B **8**
Meadow Va. *B'brn* —7H **19**
Meadow Vw. *Clith* —5C **2**
Meadow Way. *Bacup* —3H **31**
Mearley Brook Fold. *Clith* —6F **3**
Mearley St. *Clith* —6E **2**
Mearley Syke. *Clith* —5F **3**
Medina Clo. *Acc* —3C **22**
Meins Cft. *B'brn* —7D **12**
Meins Rd. *B'brn & Pleas* —6A **12**
Melbourne St. *Clay M* —5J **21**
Melbourne St. *Dar* —7F **27**
Melbourne St. *Osw* —6B **16**
Melbourne St. *Pad* —3C **8**
Melbourne St. *Ross* —4B **30**
Melfort Clo. *B'brn* —4C **18**
Melia Clo. *Ross* —3F **29**

Melita St. *Dar* —5F **27**
Melling Ct. *Col* —3F **5**
Mellor Brow. *Mel* —1A **12**
Mellor Clo. *Burn* —7J **9**
Mellor La. *Mel* —2B **12**
Melrose Av. *Burn* —6J **9**
Melrose Av. *Osw* —5A **22**
Melrose St. *Dar* —3D **26**
Melville Av. *Dar* —6E **26**
Melville Dri. *B'brn* —7G **13**
Melville Gdns. *Dar* —5E **26**
Melville St. *Burn* —1D **10**
Melville St. *Dar* —5E **26**
Mercer Cres. *Has* —5A **28**
Mercer St. *Burn* —3E **8**
Mercer St. *Clay M* —4A **16**
Mercer St. *Gt Har* —2J **15**
Merchants Ho. B'brn —2J **19**
  (off Merchants Quay)
Merchants Landing. *B'brn* —2J **19**
Merchants Quay. *B'brn* —2J **19**
Merclesden Av. *Nels* —7E **4**
Mere Ct. *Burn* —6G **9**
Meredith St. *Nels* —2F **7**
Merlin Ct. *Osw* —5J **21**
Merlin Dri. *Osw* —5J **21**
Merlin Fold. *Burn* —3D **8**
Merlin Rd. *B'brn* —6E **12**
Mersey Av. *Dar* —2B **26**
Mersey St. *Bacup* —4J **31**
Mersey St. *Burn* —4F **9**
Merton St. *Burn* —3A **10**
Merton St. *Nels* —7A **4**
Messenger St. *Nels* —2G **7**
Meta St. *B'brn* —3H **19**
Metcalf Dri. *Alt* —1E **16**
Metcalfe St. *Burn* —5G **9**
Mettle Cote. *Bacup* —4J **31**
Mews, The. *Pad* —1B **8**
Middle Ga. Grn. *Ross* —3G **25**
Middlesex Av. *Burn* —3F **9**
Middle St. *Col* —4F **5**
Middleton Dri. *Barfd* —2B **4**
Midgley St. *Col* —4H **5**
Midland Av. *Acc* —3D **22**
Midland St. *Nels* —7B **4**
Midsummer St. *B'brn* —7F **13**
Midville Pl. *Dar* —4E **26**
Milbrook Clo. *Burn* —5G **9**
Mile End Row. *B'brn* —6E **12**
Miles Av. *Bacup* —5F **31**
Milford St. *Col* —3F **5**
Milking La. *Lwr D* —7J **19**
  (in two parts)
Millar Barn La. *Ross* —5A **30**
Millbrook St. *Lwr D* —6J **19**
Mill Entrance. *Clay M* —5A **16**
Miller Clo. *Osw* —3H **21**
Miller Fold Av. *Acc* —5C **22**
Mill Fld. *Clay M* —3A **16**
Mill Gap St. *Dar* —5E **26**
Mill Ga. *Ross* —2G **29**
Millgate Rd. *Ross* —2G **29**
Mill Grn. *Col* —4G **5**
Millham St. *B'brn* —6H **13**
Mill Hill. *Osw* —4J **21**
Mill Hill Bri. St. *B'brn* —3E **18**
Mill Hill La. *Hap* —5H **17**
Mill Hill St. *B'brn* —3E **18**
Mill La. *B'brn* —1H **19**
Mill La. *Gt Har* —1A **16**
Mill Row. *Ross* —7F **25**
Mills Fold. *Ross* —4A **30**
Mill St. *Acc* —2A **22**
Mill St. *Bacup* —2H **31**
Mill St. *Barfd* —4A **4**
Mill St. *Chu* —7F **23**
Mill St. *Clay M* —5A **16**
Mill St. *Dar* —6F **27**
Mill St. *Gt Har* —2H **15**
Mill St. *Has* —1B **28**
Mill St. *Nels* —7B **4**
Mill St. *Osw* —5J **21**
Mill St. *Pad* —2B **8**
Millthorne Av. *Clith* —6D **2**
Millwood Clo. *B'brn* —4D **18**
Milner Rd. *Dar* —1C **26**
Milner St. *Burn* —3A **10**
Milnshaw Gdns. *Acc* —1B **22**
Milnshaw La. *Acc* —2C **22**

Milton Av. *Clith* —4E **2**
Milton Clo. *Dar* —4G **27**
Milton Clo. *Gt Har* —3G **15**
Milton Clo. *Ross* —6A **28**
Milton Rd. *Col* —3G **5**
Milton St. *Acc* —2C **22**
Milton St. *Barfd* —4A **4**
Milton St. *B'brn* —7K **13**
Milton St. *Brclf* —6F **7**
Milton St. *Brier* —4C **6**
Milton St. *Clay M* —4A **16**
Milton St. *Nels* —7A **4**
Milton St. *Osw* —4K **21**
Milton St. *Pad* —3C **8**
Mincing La. *B'brn* —1H **19**
Minehead Av. *Burn* —7E **6**
Minnie Ter. *B'brn* —4D **18**
Minor St. *Ross* —5G **25**
Minster Cres. *Dar* —5G **27**
Mint Av. *Barfd* —4A **4**
Mire Ash Brow. *Mel* —3A **12**
Mire Ridge. *Col* —4K **5**
Mitchell St. *Burn* —4H **9**
Mitchell St. *Clith* —6D **2**
Mitchell St. *Col* —3G **5**
Mitella St. *Burn* —5D **10**
Mitre St. *Burn* —4K **9**
Mitton Av. *Barfd* —2C **4**
Mitton Av. *Ross* —1G **29**
Mitton Gro. *Burn* —5E **10**
Mitton St. *B'brn* —5J **13**
Mizpah St. *Burn* —5D **10**
Moleside Clo. *Acc* —2E **22**
Mollington Rd. *B'brn* —5E **12**
Molly Wood La. *Burn* —5E **8**
Monarch St. *Osw* —4K **21**
Mona Rd. *B'brn* —4H **19**
Monk Hall St. *Burn* —3B **10**
Monk St. *Acc* —2B **22**
Monk St. *Clith* —6D **2**
Monmouth Rd. *B'brn* —3B **20**
Monmouth St. Burn —4J **9**
  (off Shale St.)
Monmouth St. *Col* —3K **5**
Montague Clo. *B'brn* —1G **19**
Montague Rd. *Burn* —5K **9**
Montague St. *B'brn* —7G **13**
Montague St. *Brier* —4C **6**
Montague St. *Clith* —5D **2**
Montague St. *Col* —2H **5**
Montfieldhey. *Brier* —4B **6**
Montford St. *Brier* —3A **6**
Montgomery Clo. *Bax* —6F **23**
Montgomery Gro. *Burn* —3H **9**
Monton Rd. *Dar* —1C **26**
Montreal Rd. *B'brn* —4F **13**
Montrose St. *B'brn* —2F **19**
Montrose St. *Brier* —4C **6**
Montrose St. *Burn* —6A **10**
Moor Clo. *Dar* —5H **27**
Moorcroft. *Lwr D* —7K **19**
Moor End. *Clith* —6F **3**
Moore St. *Burn* —3E **8**
  (in two parts)
Moore St. *Col* —3F **5**
Moore St. *Nels* —2G **7**
Moorfield Av. *Acc* —7G **17**
Moorfield Av. *Rams* —1H **13**
Moorfield Clo. *Acc* —4C **16**
Moorfield Dri. *Acc* —4C **16**
Moorfield Ind. Est. *Alt* —4C **16**
Moorfield Way. *Acc* —4C **16**
Moorgate. *Acc* —6C **22**
Moorgate Gdns. *B'brn* —4F **19**
Moorgate St. *B'brn* —4F **19**
Moorhead St. *Col* —3F **5**
Moorhouse Av. *Acc* —4B **22**
Moorhouse Clo. *Acc* —4B **22**
Moorhouse St. *Acc* —4B **22**
Moorhouse St. *Burn* —5H **9**
Moorings, The. *Burn* —3K **9**
Moorland Av. *B'brn* —6A **18**
Moorland Av. *Clith* —3F **3**
Moorland Av. *Dar* —3B **26**
Moorland Clo. *Barfd* —2C **4**
Moorland Cres. *Clith* —3F **3**
Moorland Dri. *Brier* —5E **6**
Moorland Ri. *Has* —3C **28**
Moorland Rd. *B'brn* —6F **19**
Moorland Rd. *Burn* —7K **9**

Moorland Rd. *Clith* —3F **3**
Moorlands Ter. *Bacup* —4J **31**
Moorlands Vw. *Ram* —7D **28**
Moorland Vw. *Nels* —3F **7**
Moor La. *Clith* —6E **2**
Moor La. *Dar* —2E **26**
Moor La. *Pad* —1B **8**
Moorside Av. *B'brn* —4C **20**
Moorside Av. *Brier* —5E **6**
Moorside Cres. *Bacup* —1J **31**
Moor St. *Clay M* —4A **16**
Moorthorpe Clo. *Dar* —7E **26**
Moor Vw. *Bacup* —1K **31**
Moorview Clo. *Burn* —7F **7**
Morecambe St. *B'brn* —4J **19**
Moreton St. *Acc* —2C **22**
Morley Av. *B'brn* —4D **18**
Morley St. *Burn* —6C **10**
Morley St. *Pad* —2B **8**
Morse St. *Burn* —5D **10**
Morton St. *B'brn* —7H **13**
Moscow Mill St. *Osw* —3K **21**
Moscow Pl. Osw —4K **21**
  (off Union Rd.)
Mosedale Dri. *Burn* —2G **9**
Moseley Clo. *Burn* —7B **10**
Moseley Rd. *Burn* —7B **10**
Mosley St. *B'brn* —3H **19**
Mosley St. *Nels* —1E **6**
Mossbank. *B'brn* —6K **13**
Moss Clo. *Has* —5A **28**
Mossdale. *B'brn* —6K **13**
Moss Fold Rd. *Dar* —1C **26**
Moss Ga. *B'brn* —6K **13**
Moss Hall Rd. *Acc* —7C **16**
Moss La. *Osw & B'brn* —5E **20**
Moss St. *B'brn* —6K **13**
Moss St. *Clith* —5D **2**
Moss St. *Gt Har* —3H **15**
Mostyn St. *Dar* —1C **26**
Moulding Clo. *B'brn* —1E **18**
Mountain La. *Acc* —4D **22**
Mount Av. *Ross* —5B **30**
Mt. Pleasant. Bacup —5E **30**
  (off Plantation St.)
Mt. Pleasant. *B'brn* —7J **13**
Mt. Pleasant. *Chat* —1H **13**
Mt. Pleasant. *Ross* —3E **28**
Mt. Pleasant. *Wors* —5H **11**
Mt. Pleasant St. *Burn* —5A **10**
Mt. Pleasant St. *Osw* —4K **21**
Mount Rd. *Burn* —6A **10**
Mt. St James. *B'brn* —4E **20**
Mount St. *Acc* —4C **22**
Mount St. *Barfd* —5A **4**
Mount St. *Brier* —4C **6**
Mount St. *Clay M* —5B **16**
Mount St. *Gt Har* —1H **15**
Mount St. *Ross* —3E **28**
Mount Ter. *Ross* —6A **30**
Mount, The. *Ross* —6B **30**
Mowbray Av. *B'brn* —3J **19**
Mowgrain Vw. *Bacup* —2H **31**
Mt Pleasant. Burn —4A **10**
  (off Bethesda St.)
Mulberry St. *B'brn* —3A **20**
Mulberry Wlk. *B'brn* —3A **20**
Murdock St. *B'brn* —1E **18**
Murray St. *Burn* —1C **10**
Musbury Cres. *Ross* —4G **29**
Musbury Vw. *Has* —4A **28**
Musden Av. *Ross* —6A **28**
Museum St. *B'brn* —7H **13**
Myrtle Av. *Burn* —6J **9**
Myrtle Bank Rd. *Bacup* —2H **31**
Myrtle Bank Rd. *B'brn* —5G **19**
Myrtle Gro. *Burn* —6G **11**
Myrtle Gro. *Has* —4A **28**
Mytton St. *Pad* —2B **8**
Mytton Vw. *Clith* —6C **2**

Nab La. *B'brn* —7G **13**
  (in two parts)
Nab La. *Osw* —4G **21**
Nairne St. *Burn* —5J **9**
Nancy St. *Dar* —4F **27**
Nansen Rd. *B'brn* —2E **18**
Napier St. *Acc* —3D **22**
Napier St. *Nels* —3F **7**

Naples Av. *Burn* —6J **9**
Naples Rd. *Dar* —4G **27**
Narcissus Av. *Has* —5A **28**
Nares Rd. *B'brn* —2E **18**
Narvik Av. *Burn* —6G **9**
Nave Clo. *Dar* —5G **27**
Navigation Way. *B'brn* —2J **19**
Naze Ct. *Ross* —4A **30**
Naze Rd. *Ross* —4A **30**
Naze Vw. Av. *Ross* —3B **30**
Neath Clo. *B'brn* —5H **13**
Nelson Golf Course. —5F **7**
Nelson Rd. *Brclf* —4G **7**
Nelson Sq. *Burn* —5A **10**
Nelson St. *Acc* —3D **22**
Nelson St. *Bacup* —5K **31**
Nelson St. *Clith* —5B **2**
Nelson St. *Col* —3G **5**
Nelson St. *Dar* —3D **26**
Nelson St. *Gt Har* —1J **15**
Nelson Ter. Acc —2A **22**
  (off India St.)
Neptune St. *Burn* —4A **10**
Netherby St. *Burn* —6J **9**
Netherfield Clo. *Burn* —3J **9**
Netherfield Gdns. *Nels* —1F **7**
Netherfield Rd. *Nels* —2E **6**
Netherheys Clo. *Col* —3E **4**
Netherwood Rd. *Burn* —2D **10**
Netherwood St. *Burn* —7F **7**
Network 65 Bus. Pk. *Hap* —6E **8**
Newark St. *Acc* —3A **22**
New Bank Rd. *B'brn* —6E **12**
New Barn Clo. *Ross* —7A **28**
New Barn St. B'brn —3J **19**
  (off Yates Fold)
New Barn La. *Ross* —5G **29**
New Bath St. *Col* —3H **5**
Newbigging Av. *Ross* —3B **30**
New Brighton. *Ross* —1A **30**
New Brown St. *Nels* —7A **4**
New Bury Clo. *Osw* —5H **21**
Newby Clo. *Burn* —7K **9**
Newby Rd. *Acc* —7E **16**
Newcastle St. *B'brn* —2F **19**
New Chapel St. *B'brn* —3E **18**
Newchurch Clo. *B'brn* —3J **19**
New Chu. Clo. *Clay M* —4A **16**
New Chu. M. *Burn* —1C **10**
Newchurch Old Rd. *Bacup* —4F **31**
  (in two parts)
Newchurch Rd. *Bacup* —5C **30**
Newchurch Rd. *Ross* —2G **29**
Newfield Dri. *B'brn* —5K **19**
Newfield Dri. *Nels* —1F **7**
New Garden St. *B'brn* —2H **19**
New Ground Ct. *Burn* —6D **6**
New Hall Hey Bus. Pk. *Ross* —4F **29**
New Hall Hey Rd. *Ross & Raw* —4F **29**
New Hall St. *Burn* —1B **10**
Newhouse Rd. *Hun I* —7E **16**
New Ho. St. *Col* —3H **5**
Newington Av. *B'brn* —1J **13**
Newlands Av. *Clith* —6C **2**
Newlands Clo. *B'brn* —5B **18**
New La. *Osw* —6H **21**
New La. *W'gll* —7A **2**
New Line. *Bacup* —5H **31**
New Line Ind. Est. *Bacup* —5J **31**
Newman St. *Burn* —1C **10**
New Mkt. St. *Burn* —7H **13**
New Mkt. St. *Clith* —5C **2**
New Mkt. St. *Col* —3G **5**
Newmeadow Clo. *B'brn* —5K **19**
New Mill St. *B'brn* —6J **13**
New Oxford St. *Col* —2H **5**
New Pk. St. *B'brn* —7E **13**
Newport St. *Nels* —7B **4**
New Rd. *Burn* —7A **10**
New Rd. *Ross* —3B **30**
New Row. *Alt* —1F **17**
New Scotland Rd. *Nels* —7B **4**
New St. *Col* —5E **4**
New St. *Has* —2B **28**
New St. *Nels* —7C **4**
New St. *Pad* —2A **8**
New Taylor Pde. *Brclf* —6G **7**
Newton Dri. *Acc* —5E **22**

Newton St. *B'brn* —3A **20**
Newton St. *Burn* —3H **9**
Newton St. *Clith* —6D **2**
Newton St. *Dar* —3E **26**
Newton St. *Osw* —3G **21**
Newtown St. *Col* —3H **5**
(in two parts)
New Wellington Clo. *B'brn* —4F **19**
New Wellington Gdns. *B'brn*
—4F **19**
New Wellington St. *B'brn* —4F **19**
Nicholas St. *Brclf* —6F **7**
Nicholas St. *Burn* —5B **10**
Nicholas St. *Col* —4F **5**
Nicholas St. *Dar* —4D **26**
Nicholl St. *Burn* —2B **10**
Nickey La. *Mel* —2C **12**
Nightingale Cres. *Burn* —6H **9**
Nile St. *Nels* —7A **4**
(off Clayton Clo.)
Niton Clo. *Has* —4C **28**
Noble St. *Dar* —5E **26**
Noble St. *Gt Har* —3H **15**
Noble St. *Rish* —6G **15**
Noblett St. *B'brn* —7J **13**
Nook La. *B'brn* —4C **18**
Nook La. *Osw* —6F **21**
Nook Ter. *B'brn* —4D **18**
Nora St. *Barfd* —5A **4**
Norbreck Clo. *B'brn* —5J **19**
Norfolk Av. *Burn* —3G **9**
Norfolk Av. *Pad* —4C **8**
Norfolk Clo. *Clay M* —4A **16**
Norfolk St. *Acc* —1E **22**
Norfolk St. *B'brn* —3F **19**
Norfolk St. *Col* —3H **5**
Norfolk St. *Dar* —4F **27**
Norfolk St. *Nels* —1E **6**
Norfolk St. *Rish* —6F **15**
Norham Clo. *Burn* —3K **9**
Norman Rd. *Osw* —3H **21**
Norman St. *B'brn* —2F **19**
Norman St. *Burn* —3B **10**
Norris St. *Dar* —4F **27**
N. Bank Av. *B'brn* —3H **13**
Northcliffe. *Gt Har* —1G **15**
Northcote St. *Dar* —7F **27**
Northcote St. *Has* —3B **28**
Northfield Rd. *Acc* —4A **24**
Northfield Rd. *B'brn* —5H **13**
Northgate. *B'brn* —7H **13**
North Pk. Av. *Barfd* —7A **4**
North Rd. *B'brn* —4A **20**
North Rd. *Ross* —3J **29**
North St. *Brclf* —6G **7**
North St. *Burn* —1B **10**
North St. *Clith* —4F **3**
North St. *Col* —2H **5**
North St. *Hap* —5B **8**
North St. *Has* —4C **28**
North St. *Nels* —7A **4**
North St. *Pad* —1B **8**
North St. *Raw* —3G **29**
North St. *Ross* —4A **30**
N. Valley Rd. *Col* —3F **5**
North Vw. *Ross* —4G **25**
North Vw. *Traw* —6J **5**
Northwood Clo. *Burn* —2J **9**
Norton St. *Hap* —6B **8**
Norwich St. *B'brn* —5J **13**
Norwood Av. *B'brn* —3H **19**
Norwood Av. *Nels* —6C **4**
Notre Dame Gdns. *B'brn* —6J **13**
Nottingham St. *B'brn* —1K **19**
Nowell St. *Gt Har* —2H **15**
Noyna St. *Col* —2H **5**
Noyna Vw. *Col* —1H **5**
Nursery Nook. *E'hill* —1H **27**
Nuttall Av. *Gt Har* —3H **15**
Nuttall St. *Acc* —7E **16**
(Burnley Rd.)
Nuttall St. *Acc* —3D **22**
(Mount St.)
Nuttall St. *Bacup* —2K **31**
Nuttall St. *B'brn* —4G **19**
Nuttall St. *Burn* —6C **10**
Nuttall St. *Ross* —2H **29**
Nuttall St. M. *Acc* —3D **22**
(off Nuttall St.)

Nutter Rd. *Acc* —1D **22**

Oak Av. *Acc* —4A **24**
Oak Bank. *Acc* —5E **16**
Oak Clo. *Rish* —7G **15**
Oakdene Av. *Acc* —6F **17**
Oaken Bank. *Burn* —6F **7**
Oaken Clo. *Bacup* —2K **31**
Oakenclough Rd. *Bacup* —2K **31**
Oakeneaves Av. *Burn* —7J **9**
Oakenhead Wood Old Rd. *Ross*
—2D **28**
Oakenhurst Rd. *B'brn* —1G **19**
Oakfield Av. *Acc* —6F **17**
Oakfield Av. *Clay M* —4K **15**
Oakfield Cres. *Osw* —4A **22**
Oakfield Rd. *B'brn* —6G **19**
Oak Gro. *Dar* —3F **27**
Oak Hill Clo. *Acc* —4D **22**
Oakhurst Av. *Acc* —6F **17**
Oaklands Av. *Barfd* —5A **4**
Oaklands Dri. *Ross* —3E **28**
Oakland St. *Nels* —1F **7**
Oak La. *Acc* —3E **22**
Oakley Rd. *Ross* —3F **29**
Oakley St. *Ross* —4E **28**
Oakmere Clo. *B'brn* —7G **19**
Oak St. *Acc* —3D **22**
Oak St. *Bacup* —2J **31**
Oak St. *B'brn* —4J **13**
Oak St. *Brier* —3C **6**
Oak St. *Burn* —4H **9**
Oak St. *Clay M* —5A **16**
Oak St. *Col* —2H **5**
Oak St. *Dunn* —1H **25**
Oak St. *Gt Har* —1H **15**
Oak St. *Nels* —7B **4**
Oak St. *Osw* —5J **21**
Oakwood Av. *B'brn* —3K **13**
Oakwood Clo. *Burn* —6E **6**
Oakwood Clo. *Dar* —1C **26**
Oakwood Rd. *Acc* —5E **22**
Oat St. *Pad* —3C **8**
Oban Dri. *B'brn* —5B **20**
Oban St. *Burn* —2D **10**
Observatory Rd. *B'brn* —3K **19**
O'er the Bridge. Hodd —4K **27**
(off Hoddlesden Rd.)
Off Mt. Pleasant St. *Osw* —4K **21**
(off Chapel St.)
Ogden Clo. *Helm* —6A **28**
Ogden Dri. *Helm* —6A **28**
O'Hagan Ct. *Brier* —3C **6**
Old Bank La. *B'brn* —3K **19**
(in two parts)
Old Bank St. *B'brn* —1H **19**
Old Carr Mill St. *Ross* —7B **24**
Old Farmside. *B'brn* —6G **19**
Oldfield Av. *Dar* —2C **26**
Old Gates Dri. *B'brn* —4C **18**
Old Hall Dri. *Hun* —6G **17**
Old Hall Sq. *Wors* —5H **11**
Old Hall St. *Burn* —2B **10**
Oldham St. *Burn* —6A **10**
Old Kiln. *Bacup* —5F **31**
Old Meadows Rd. *Bacup* —1H **31**
Old Mill Dri. *Col* —4J **5**
Old Mill St. *B'brn* —6J **13**
Old Parsonage La. *Pad* —2A **8**
Old Row. *Ross* —4E **28**
Old School M. *Stac* —5E **30**
Old Sta. Ct. *Clith* —5E **2**
(off Station Rd.)
Old Station Ct. *Clith* —5E **2**
(off Station Rd.)
Old St. *Ross* —4A **30**
Olivant St. *Burn* —3H **9**
Olive La. *Dar* —3E **26**
Oliver St. *Bacup* —5E **30**
Olive St. *Bacup* —5G **31**
Olive Ter. *Ross* —7F **25**
Olympia St. *Burn* —5D **10**
Onchan Dri. *Bacup* —4K **31**
Onchan Rd. *B'brn* —4D **12**
Ontario Clo. *B'brn* —4D **12**
Oozebooth Ter. *B'brn* —5H **13**
Oozehead La. *B'brn* —7E **12**
Opal St. *B'brn* —2H **13**
Openshaw Dri. *B'brn* —3H **13**

Oporto Clo. *Burn* —5K **9**
Orange St. *Acc* —7C **16**
Orchard Bri. Burn —4A **10**
(off Active Way)
Orchard Clo. *B'brn* —7G **19**
Orchard Dri. *Osw* —3A **22**
Orchard Mill St. *Dar* —3D **26**
Orchard St. *Gt Har* —3H **15**
Orchard Ter. *Traw* —6J **5**
Orchard, The. Burn —6H **9**
(off Heather Bank)
Ordnance St. *B'brn* —7K **13**
Oriole Clo. *B'brn* —6J **13**
Orkney Clo. *B'brn* —5B **20**
Ormerod Rd. *Burn* —4B **10**
Ormerod St. *Acc* —4B **22**
Ormerod St. *Burn* —5A **10**
Ormerod St. *Col* —4F **5**
Ormerod St. *Has* —5B **24**
Ormerod St. *Nels* —1G **7**
Ormerod St. *Raw* —3G **29**
Ormerod St. *Wors* —6H **11**
Ormerod Vw. Wors —5J **11**
(off Ormerod St.)
Orpen Av. *Burn* —7A **10**
Orpington Sq. *Burn* —6D **6**
Orton Ct. *Barfd* —4A **4**
Osborne Rd. *B'brn* —6E **12**
Osborne Ter. *Bacup* —5F **31**
Osborne Ter. *Dar* —3C **26**
Osborne Ter. *Raw* —3E **28**
Osborne Ter. *Waterf* —1B **30**
Osborne Way. *Has* —4A **28**
Oslo Rd. *Burn* —5G **9**
Osprey Clo. *B'brn* —4G **13**
Oswald St. *Acc* —2D **22**
Oswald St. *B'brn* —3C **19**
Oswald St. *Burn* —2A **10**
Oswald St. *Osw* —5H **21**
Oswald St. *Rish* —5H **15**
Ottawa Clo. *B'brn* —4E **12**
Otterburn Gro. *Burn* —4E **10**
Otterburn Rd. *B'brn* —6F **19**
Ottershaw Gdns. *B'brn* —4H **13**
Ouseburn Rd. *B'brn* —5F **19**
Outram La. *B'brn* —3H **13**
Outwood Rd. *Burn* —6C **10**
Owen Ct. *Clay M* —4A **16**
Owen St. *Acc* —1C **22**
Owen St. *Burn* —5F **9**
Owen St. *Dar* —1D **26**
Owlet Hall Rd. *Dar* —3C **26**
Oxford Av. *Clay M* —4B **16**
Oxford Clo. *B'brn* —1J **19**
Oxford Clo. *Pad* —4C **8**
Oxford Dri. *B'brn* —4D **20**
Oxford Pl. *Burn* —5C **10**
Oxford Rd. *Burn* —5C **10**
Oxford Rd. *Nels* —6D **4**
Oxford St. *Acc* —2C **22**
Oxford St. *Brier* —4C **6**
Oxford St. *Col* —3H **5**
Oxford St. *Dar* —1D **26**
Ox Hey. *Clay M* —3A **16**
Oxhey Clo. *Burn* —4G **11**

Paddock La. *B'brn* —4C **20**
Paddock St. *Osw* —4K **21**
Paddock, The. *B'brn* —4D **12**
Paddock, The. *Burn* —6C **6**
Paddock, The. *Osw* —4K **21**
Padgate Pl. *Burn* —6G **9**
Padiham Rd. *Burn* —3E **8**
(in two parts)
Pagefield Cres. *Clith* —6G **3**
Paignton Rd. *B'brn* —5G **13**
Paisley St. *Burn* —5J **9**
Palace Gdns. *Burn* —3G **9**
Palace St. *Burn* —3H **9**
Palatine Rd. *B'brn* —7F **13**
Palatine Sq. *Burn* —5K **9**
Pall Mall. *B'brn* —7B **12**
Palmerston St. *Pad* —3C **8**
Palmer St. *B'brn* —6K **13**
Palm St. *B'brn* —5K **13**
Palm St. Burn —5J **9**
(off Burdett St.)
Pansy St. N. *Acc* —1C **22**
Pansy St. S. *Acc* —1C **22**

Parade, The. *Has* —5A **28**
Paradise La. *B'brn* —1H **19**
Paradise St. *Acc* —3C **22**
Paradise St. *Barfd* —3B **4**
Paradise St. *B'brn* —1G **19**
Paradise St. *Burn* —4A **10**
Paradise St. *Ross* —3B **30**
Paradise Ter. *B'brn* —1H **19**
Paris. *Rams* —4A **14**
Parish St. *Pad* —1B **8**
Park Av. *Barfd* —1D **6**
Park Av. *B'brn* —6G **13**
Park Av. *Burn* —6K **9**
Park Av. *Chat* —1K **3**
Park Av. *Clith* —4E **2**
Park Av. *Gt Har* —1J **15**
Park Av. *Has* —4B **28**
Park Bri. Rd. *Burn* —7E **10**
Park Cres. *Acc* —4B **22**
Park Cres. *Bacup* —5H **31**
Park Cres. *B'brn* —6F **13**
Park Cres. *Has* —4B **28**
Parkdale Gdns. *B'brn* —7G **19**
Park Dri. *Brier* —4D **6**
Park Dri. *Nels* —2G **7**
Parker Av. *Clith* —7E **2**
Parker La. *Burn* —5B **10**
Parker St. *Acc* —6F **23**
(Hollins La.)
Parker St. *Acc* —7F **17**
(South St.)
Parker St. *Brclf* —6G **7**
Parker St. Burn —4B **10**
(off Barnes St.)
Parker St. *Burn* —4B **10**
(Kingsway, in two parts)
Parker St. *Col* —3F **5**
Parker St. *Nels* —6C **4**
Parker St. *Rish* —5G **15**
Pk. Farm Rd. *B'brn* —6A **18**
Parkinson Fold. *Has* —7C **28**
Parkinson St. *B'brn* —3E **18**
Parkinson St. *Burn* —6B **10**
Parkinson St. *Has* —2A **28**
Parkinson Ter. *Traw* —6J **5**
Parklands. *Has* —4B **28**
Parklands Way. *B'brn* —5E **18**
Parkland Vw. *Burn* —7K **9**
Park La. *Brier* —4D **6**
Park La. *Gt Har* —1H **15**
Park La. *Osw* —5K **21**
Pk. Lee Rd. *B'brn* —4H **19**
Park Pl. B'brn —2E **18**
(off Spring La.)
Park Pl. *Fen* —6A **18**
Park Rd. *Acc* —2B **22**
Park Rd. *Bacup* —4H **31**
Park Rd. *B'brn* —2H **19**
Park Rd. *Dar* —7F **27**
Park Rd. *Gt Har* —1J **15**
Park Rd. *Pad* —3B **8**
Park Rd. *Rish* —6H **15**
Park Rd. *Waterf* —4B **30**
Park Rd. Ind. Est. *Bacup* —4H **31**
Park Side Rd. *Nels* —1J **7**
Park St. *Acc* —2D **22**
Park St. *Barfd* —4A **4**
Park St. *Clith* —7E **2**
Park St. *Gt Har* —2J **15**
Park St. *Has* —2B **28**
Park St. E. *Barfd* —4B **4**
Park Ter. *B'brn* —5G **13**
Park Vw. Brier —2C **6**
(off Pk View. Clo.)
Park Vw. *Chu* —1B **22**
Park Vw. *Pad* —2B **8**
Park Vw. *Ross* —7G **25**
Park Vw. *Waterf* —4B **30**
Pk. View Clo. *Brier* —2C **6**
Park Way. *Col* —2F **5**
Parkwood Av. *Burn* —3J **9**
Pk. Wood Dri. *Ross* —3E **28**
Parkwood Rd. *B'brn* —4A **20**
Parliament St. *Burn* —6B **10**
Parliament St. *Col* —3H **5**
Parliament St. *Dar* —4E **26**
Parramatta St. *Ross* —3G **29**
Parrock St. *Nels* —7B **4**
Parrock St. *Ross* —5G **25**
Parsonage Dri. *Brier* —4D **6**

Parsonage Rd. *B'brn* —4B **14**
Parsonage St. *Chu* —3K **21**
Parsonage St. *Col* —4F **5**
Parson La. *Clith* —5E **2**
Partridge Dri. *Acc* —7G **23**
Partridge Hill. *Pad* —1C **8**
Partridge Hill St. *Pad* —2C **8**
Partridge Wlk. *Burn* —5H **9**
Pasture Clo. *Burn* —7K **9**
Pasturegate. *Burn* —6J **9**
Pasturegate Av. *Burn* —6J **9**
Pasture La. *Barfd* —4A **4**
Pastures, The. *B'brn* —4D **12**
Paterson St. *B'brn* —2H **19**
Patrick Cres. *Ross* —3J **29**
Patten St. *B'brn* —3B **20**
Patten St. *Col* —4G **5**
Patterdale Av. *B'brn* —5B **20**
Patterdale Av. *Osw* —3J **21**
Patterdale Clo. *Burn* —5D **6**
Paulhan St. *Burn* —7C **6**
Pave La. *Traw* —6J **5**
Paxton St. *Acc* —2C **22**
Paythorne Av. *Burn* —5E **10**
Peabody St. *Dar* —3E **26**
Peace St. *Burn* —5J **9**
Pearl St. *Acc* —3A **22**
Pearl St. *B'brn* —3J **13**
Pearson St. *B'brn* —1G **19**
Peart St. *Burn* —7C **6**
Peebles Gro. *Burn* —7J **9**
Peelbank Rd. *Osw* —4G **21**
Peel Clo. *B'brn* —5H **19**
Peel Dri. *Bacup* —4J **31**
Peel Gdns. *Col* —3F **5**
Peel Mt. *B'brn* —4D **20**
Peel Mt. Clo. *B'brn* —4E **20**
Peel Pk. Av. *Acc* —1E **22**
Peel Pk. Av. *Clith* —6F **3**
Peel Pk. Clo. *Acc* —1E **22**
Peel Pk. Clo. *Clith* —6F **3**
Peel Pl. *Barfd* —2C **4**
Peel Retail Pk. *B'brn* —1C **20**
Peel Rd. *Col* —4E **4**
Peel St. *Acc* —2D **22**
Peel St. *B'brn* —3F **19**
Peel St. *Clith* —5F **3**
(in two parts)
Peel St. *Has* —2A **28**
Peel St. *Osw* —5J **21**
Peel St. *Pad* —2C **8**
Peel St. *Raw* —3J **29**
Pelham St. *B'brn* —6K **13**
Pemberton St. *B'brn* —3H **13**
Pembroke St. *Acc* —2E **22**
Pembroke St. *Bacup* —4H **31**
Pembroke St. *B'brn* —2H **19**
Pembroke St. *Burn* —1C **10**
Pendle Av. *Bacup* —2J **31**
Pendle Av. *Clay M* —3A **16**
Pendle Bri. *Burn* —6A **6**
Pendle Clo. *Bacup* —3J **31**
Pendle Ct. *Clith* —5F **3**
Pendle Dri. *B'brn* —3J **19**
Pendle Heritage Cen. —4B **4**
Pendle Ho. *B'brn* —7J **13**
Pendlehurst St. *Burn* —6K **9**
Pendle Ind. Est. *Nels* —2G **7**
Pendlemist Vw. *Col* —5F **5**
Pendle Mt. *Clith* —5F **3**
Pendle Rd. *Brier* —4B **6**
Pendle Rd. *Clith* —5F **3**
Pendle Rd. *Gt Har* —1K **15**
Pendleside. *Brier* —1B **6**
Pendle St. *Acc* —3B **22**
Pendle St. *Barfd* —6A **4**
Pendle St. *B'brn* —7K **13**
Pendle St. *Nels* —7A **4**
Pendle St. *Pad* —3C **8**
(in two parts)
Pendleton Av. *Acc* —4A **22**
Pendleton Av. *Ross* —1G **29**
Pendle Trad. Est. *Chat* —1J **3**
Pendle Vw. *Alt* —4B **16**
Pendle Way. *Burn* —2J **9**
Penistone St. Burn —4J 9
(off Shale St.)
Pennine Cres. *Brier* —4D **6**
Pennine Ho. *Has* —2B **28**
Pennine Rd. *Bacup* —4J **31**

Pennine Way. *Brier* —4D **6**
Penny Ho. La. *Acc* —1D **22**
Penny St. *B'brn* —7H **13**
Penrith Cres. *Col* —5E **4**
Penrith Rd. *Col* —5D **4**
Penshaw Clo. *B'brn* —3H **13**
Pentland Ho. Has —2B 28
(off Pleasant St.)
Penzance St. *B'brn* —3E **18**
Percival St. *Acc* —2A **22**
Percival St. *B'brn* —5J **13**
Percival St. *Dar* —2D **26**
Percy St. *Acc* —2E **22**
Percy St. *B'brn* —3E **18**
Percy St. *Col* —2H **5**
Percy St. *Nels* —2E **6**
Percy St. *Osw* —3G **21**
Peregrine St. *Dar* —2B **26**
Peridot Clo. *B'brn* —2J **13**
Peronne Cres. *B'brn* —3C **20**
Perry St. *Dar* —3E **26**
Persia St. *Acc* —2A **22**
Perth St. *Acc* —3B **22**
Perth St. *B'brn* —2F **19**
Perth St. *Burn* —5J **9**
Perth St. *Nels* —7C **4**
Peter Birtwistle Clo. *Col* —3H **5**
Peter Grime Row. *Acc* —5G **17**
Peter St. *Acc* —3B **22**
Peter St. *Barfd* —4A **4**
Peter St. *B'brn* —6K **13**
Peter St. *Col* —4H **5**
Peter St. *Ross* —3G **29**
Petre Cres. *Rish* —7G **15**
Petrel Clo. *B'brn* —4G **13**
Petre Rd. *Clay M* —6K **15**
Pheasantford Grn. *Burn* —2C **10**
Pheasantford St. *Burn* —2C **10**
Philips Rd. *B'brn* —1A **20**
(in two parts)
Philip St. *Dar* —4F **27**
Phillips La. *Col* —4E **4**
Phillipstown. *Ross* —1A **30**
Phoenix Pk. *B'brn* —1A **20**
Phoenix Way. *Burn* —5H **9**
Piccadilly Rd. *Burn* —5K **9**
Piccadilly Sq. *Burn* —5K **9**
Piccadilly St. *Has* —2B **28**
Pickering Fold. *B'brn* —6K **19**
Pickering St. *Brier* —4C **6**
Pickles St. *Burn* —3J **9**
Pickup Fold. *Dar* —6G **27**
Pickup Fold Rd. *Dar* —6G **27**
Pickup Rd. *Rish* —7F **15**
Pickup St. *Acc* —4A **22**
(in two parts)
Pickup St. *Bacup* —3H **31**
Pickup St. *B'brn* —7K **13**
Pickup St. *Clay M* —4A **16**
Picton St. *B'brn* —5E **18**
Pierce Clo. *Pad* —1B **8**
Piercy Higher Mt. *Ross* —2B **30**
Piercy Mdw. *Ross* —2B **30**
Piercy Mt. Ross —2B 30
(off Piercy Rd.)
Piercy Rd. *Ross* —2B **30**
Piercy Ter. Ross —2B 30
(off Piercy Rd.)
Pilgrim St. *Nels* —3G **7**
Pilkington Dri. *Clay M* —4B **16**
Pilkington St. *B'brn* —1H **19**
Pilling Av. *Acc* —6F **23**
Pilling Barn La. *Ross & Bacup*
—2D **30**
Pilling St. *Has* —6B **24**
Pilling St. *Ross* —5B **30**
Pilmuir Rd. *B'brn* —3H **19**
Pilot St. *B'brn* —2J **19**
Pimlico Ind. Area. *Clith* —2E **2**
Pimlico Link Rd. *Clith* —2F **3**
Pimlico Rd. *Clith* —4F **3**
Pinder Clo. *Wadd* —1B **2**
Pinder St. *Nels* —6C **4**
Pine Clo. *Rish* —7G **15**
Pine Cres. *Osw* —6A **22**
Pine Gro. *Clith* —6D **2**
Pine St. *Bacup* —4J **31**
Pine St. *B'brn* —5K **13**
Pine St. *Burn* —5C **10**
Pine St. *Dar* —5F **27**

Pine St. *Has* —2C **28**
Pine St. *Nels* —1G **7**
Pinewood. *B'brn* —5C **18**
Pinewood Dri. *Acc* —1E **22**
Pinfold. *Brier* —3B **4**
Pinfold Pl. *Nels* —7E **4**
Pink Pl. *B'brn* —2E **18**
Pink St. *Burn* —4H **9**
Pinner La. *Ross* —5F **25**
Pinner Sq. *Ross* —5F **25**
Piper Lea. *Ross* —4C **30**
Pippin St. *Bacup* —4H **31**
Pitt St. *Pad* —2C **8**
Pitville St. *Dar* —2D **26**
Place De Criel. Nels —1E 6
(off Manchester Rd.)
Plain Pl. *B'brn* —2H **19**
Plane St. *Bacup* —1H **31**
Plane St. *B'brn* —5K **13**
Plane Tree Clo. *Burn* —7J **9**
Plane Tree Hill. Burn —7E 6
(off Marsden Rd.)
Plane Tree Rd. *B'brn* —5K **13**
Plantation Mill. *Bacup* —4H **31**
Plantation Rd. *Acc* —2E **22**
Plantation Rd. *B'brn* —4E **18**
Plantation Sq. *Acc* —2E **22**
Plantation St. *Acc* —3D **22**
Plantation St. *Bacup* —5E **30**
Plantation St. *Burn* —3B **10**
Plantation St. *Nels* —7C **4**
Plantation St. *Ross* —3H **29**
Plant St. *Osw* —5J **21**
Platt Clo. *Acc* —3B **22**
Pleasant Pl. *Burn* —5A **10**
Pleasant Vw. *Bacup* —6E **30**
Pleasant Vw. *B'brn* —3K **19**
Pleasant Vw. *Hodd* —4K **27**
Pleasant Vw. *Ross* —4B **30**
Pleasington Clo. *B'brn* —1E **18**
Pleasington Gro. *Burn* —5E **10**
Pleasington Rd. *B'brn* —7A **12**
Pleasington St. *B'brn* —1E **18**
Pleck Farm Av. *B'brn* —4H **13**
Pleckgate Fold. *B'brn* —3G **13**
Pleckgate Rd. *B'brn* —4H **13**
Pleck Rd. *Acc* —2D **22**
Plover St. *Burn* —4J **9**
Plover Vw. Burn —4J 9
(off Plover St.)
Plumbe St. *Burn* —5B **10**
Pocklington St. *Acc* —6E **22**
Poets Rd. *Burn* —3E **8**
Poland St. *Acc* —2A **22**
Pole La. *Dar* —6G **27**
Police St. *Dar* —4D **26**
Pollard Row. *Fence* —1A **6**
Pollard St. *Acc* —1D **22**
Pollard St. *Burn* —5J **9**
Pomfret St. *B'brn* —2G **19**
Pomfret St. *Burn* —4K **9**
Pont St. *Nels* —2E **6**
Poole St. *B'brn* —3B **20**
Poplar Av. *Gt Har* —1J **15**
Poplar Clo. *Osw* —5A **22**
Poplar Clo. *Rish* —7G **15**
Poplar St. *B'brn* —5J **13**
Poplar St. *Has* —2B **28**
Poplar St. *Nels* —7C **4**
Poplar Ter. *Ross* —6F **25**
Portal Gro. *Burn* —4G **9**
Porter St. *Acc* —2A **22**
Portland St. *Acc* —2B **22**
Portland St. *Barfd* —5A **4**
Portland St. *B'brn* —2F **19**
Portland St. *Col* —3J **5**
Portland St. *Dar* —7F **27**
Portland St. *Nels* —1E **6**
Portree Cres. *B'brn* —5C **20**
Portsmouth Av. *Burn* —7F **7**
Post Office St. Ross —5G 25
(off Major St.)
Post Office Yd. Col —3H 5
(off Market Pl.)
Pot Ho. La. *Dar* —2G **27**
Pot Ho. La. *Osw* —7K **21**
Poulton Av. *Acc* —7B **16**
Powell St. *Burn* —6K **9**
Powell St. *Dar* —3E **26**
Powys Clo. *Has* —4B **28**

Prairie Cres. *Burn* —7C **6**
Pratt St. *Burn* —1B **10**
Premier Bus. Pk. *Gt Har* —1J **15**
Prescott St. *Burn* —5D **10**
Preston New Rd. *Sam & Mel B*
(in two parts) —3A **12**
Preston St. *Dar* —2D **26**
Prestwich St. *Burn* —6J **9**
Priestfield Av. *Col* —3E **4**
Priestley Nook. Acc —3D 22
(off Royds St.)
Primative Ter. *Ross* —5F **25**
Primet Bri. *Col* —4F **5**
Primet Bus. Cen. *Col* —4E **4**
Primet Heights. Col —5E 4
(off Wackersall Rd.)
Primet Hill. *Col* —4F **5**
Primet St. *Col* —4F **5**
Primrose Bank. Bacup —5E 30
(off Tunstead Rd.)
Primrose Bank. Bacup —5D 30
(off Waterbarn La.)
Primrose Bank. *B'brn* —6J **13**
Primrose Clo. *B'brn* —3E **18**
Primrose Ct. B'brn —7J 13
(off Primrose Dri.)
Primrose Dri. *B'brn* —7J **13**
Primrose Hill. *Col* —3J **5**
Primrose Hill. *Mel* —1D **12**
Primrose Rd. *Clith* —7D **2**
Primrose St. *Acc* —4B **22**
Primrose St. *Bacup* —5E **30**
Primrose St. Brier —4C 6
(off Halifax Rd.)
Primrose St. *Burn* —1D **10**
Primrose St. *Clith* —6D **2**
Primrose St. *Dar* —5F **27**
Primrose Ter. *B'brn* —3E **18**
Primrose Ter. *Dar* —5F **27**
Primrose Way. *Chu* —1K **21**
Primula Dri. *Lwr D* —6K **19**
Prince Lee Meadows. *Dar* —5F **27**
Princess Av. *Clith* —4F **3**
Princess Gdns. *B'brn* —6A **18**
Princess St. *Acc* —2A **22**
Princess St. *Bacup* —3H **31**
Princess St. *B'brn* —3F **19**
Princess St. *Chu* —2K **21**
Princess St. *Col* —3F **5**
Princess St. *Gt Har* —2J **15**
Princess St. *Has* —3B **28**
Princess St. *Nels* —2E **6**
Princess St. *Pad* —2A **8**
Prince's St. *B'brn* —1G **19**
Princes St. *Rish* —6G **15**
Princess Way. *Burn* —3A **10**
Prince St. *Burn* —5K **9**
Prince St. *Dar* —4D **26**
Pringle St. *B'brn* —2J **19**
Prinny Hill Rd. *Has* —2A **28**
Printers Fold. *Burn* —4D **8**
Printshop La. *Dar* —7E **26**
Prior's Clo. *B'brn* —6D **12**
Priory Clo. *B'brn* —4D **20**
Priory Clo. *Ross* —3A **30**
Priory Ct. *Burn* —7C **10**
Priory Dri. *Dar* —4G **27**
Priory Grange. *Dar* —5G **27**
Priory Pl. *Dar* —5G **27**
Priory St. *Nels* —7C **4**
Pritchard St. *B'brn* —3G **19**
Pritchard St. *Burn* —6K **9**
Private La. *Has* —5C **28**
Procter St. *B'brn* —2J **19**
Proctor Clo. *Brier* —4G **7**
Proctor Cft. *Traw* —6J **5**
Progress Av. *B'brn* —5K **13**
Progress Rd. *Whit I* —5C **4**
Progress St. *Dar* —4F **27**
Prospect Av. *Dar* —3C **26**
Prospect Hill. *Has* —3A **28**
Prospect Hill. Raw —2G 29
(off Prospect Rd.)
Prospect Rd. *Ross* —2G **29**
Prospect St. *Gt Har* —2J **15**
Prospect St. *Ross* —4B **30**
Prospect Ter. *Bacup* —6G **31**
Prospect Ter. *Barfd* —4A **4**
Prospect Ter. Hun —5F 17
(off Enfield Rd.)

St Stephen's Way—Springfield Flats

St Stephen's Way. *Col* —2J **5**
St Thomas Clo. *Ross* —6A **28**
St Thomas's Rd. *Ross* —5G **25**
St Thomas St. *B'brn* —4A **20**
St Vincent Clo. *Lwr D* —7J **19**
Salem St. *Has* —2B **28**
Salesbury Vw. *Wilp* —4B **14**
Salford. *B'brn* —7H **13**
Salisbury Rd. *Dar* —2C **26**
Salisbury St. *Col* —3H **5**
Salisbury St. *Gt Har* —1J **15**
Salisbury St. *Has* —2B **28**
Saltburn St. *Burn* —4G **9**
Salterford La. *Cliv* —7H **11**
Salthill Ind. Est. *Clith* —3G **3**
Salthill Rd. *Clith* —4F **3**
Salthill Vw. *Clith* —4F **3**
Salus St. *Burn* —1C **10**
Sand Beds La. *Ross* —7G **29**
Sandfield Rd. *Bacup* —4J **31**
Sandhill St. *Dar* —1C **26**
Sandhurst St. *Burn* —4C **10**
Sandiway Dri. *Brclf* —6G **7**
Sandon St. *B'brn* —2F **19**
Sandon St. *Dar* —3F **27**
Sandon Ter. *B'brn* —2F **19**
Sandown Rd. *Has* —3C **28**
Sandpiper Clo. *B'brn* —6J **13**
Sandpiper Sq. *Burn* —5H **9**
Sandringham Clo. *B'brn* —3H **13**
Sandringham Gro. *Has* —4A **28**
Sandringham Rd. *Dar* —1C **26**
Sands Clo. *Rish* —5G **15**
Sands Rd. *Rish* —5G **15**
Sandwich Clo. *B'brn* —4B **20**
Sandybeds Clo. *Acc* —6E **22**
Sandygate. *Burn* —4K **9**
Sandy La. *Acc* —3D **22**
(in two parts)
Sandy La. *Barfd* —6A **4**
Sandy La. *Dar & Lwr D* —7H **19**
Sangara Dri. *Lwr D* —7J **19**
Sansbury Cres. *Nels* —6D **4**
Sapphire St. *B'brn* —3J **13**
Sarah St. *Bacup* —5K **31**
Sarah St. *Dar* —4F **27**
Saunder Bank. *Burn* —5A **10**
Saunder Height La. *Ross* —2A **30**
Saunders Clo. *Ross* —5G **25**
Saunders Rd. *B'brn* —7F **13**
Savoy St. *Acc* —3A **22**
Sawley Av. *Acc* —1E **22**
Sawley Clo. *Dar* —5G **27**
Sawley Dri. *Gt Har* —1K **15**
Sawrey Ct. *Clay M* —5K **15**
Saxifield St. *Burn* —6F **7**
Saxon Clo. *Osw* —3H **21**
Saxon St. *Burn* —3B **10**
Scafell Clo. *Burn* —2H **9**
Scaitcliffe St. *Acc* —2C **22**
Scarborough Rd. *B'brn* —4K **19**
Scarlett St. *Burn* —5K **9**
Scarr La. *B'brn* —5C **12**
(in two parts)
Scarr St. *Bacup* —2H **31**
Scar St. *B'brn* —2E **18**
Scarth La. *Hap* —6A **8**
Schofield Clo. *Ross* —3F **29**
Schofield Rd. *Ross* —3F **29**
Schofield St. *Dar* —3D **26**
Schofield St. *Ross* —7A **28**
Schofield St. *Waterf* —5A **30**
Scholefield Av. *Nels* —3F **7**
Scholefield La. *Nels* —4F **7**
Scholes St. *Dar* —4D **26**
School Ho. Fold. *Hap* —7B **8**
School Ho. La. *Acc* —7C **22**
School La. *Burn* —4B **10**
School La. *Guide* —7C **20**
School St. *Acc* —2C **22**
School St. *Bacup* —5D **30**
School St. *Col* —4G **5**
School St. *Dar* —4E **26**
School St. *Good* —4G **25**
School St. *Gt Har* —3H **15**
School St. *Nels* —1D **6**
School St. *Rish* —6G **15**
School St. *Whit B* —1B **30**
Scotland Bank Ter. *B'brn* —5E **18**

Scotland Rd. *Nels* —6A **4**
Scotshaw Brook Ind. Est. *B'brn*
—6H **19**
Scott Av. *Acc* —6F **23**
Scott Clo. *Osw* —3J **21**
Scott Pk. Rd. *Burn* —6K **9**
Scott's Ter. *Burn* —4J **9**
Scott St. *Burn* —3E **8**
Scott St. *Clay M* —4A **16**
Scott St. *Nels* —7A **4**
Scout Rd. *Ross* —2B **30**
Seascale Clo. *B'brn* —4K **19**
Seaton Ct. *B'brn* —5J **19**
Second Av. *Chu* —5E **22**
Sedburgh Clo. *Acc* —3E **22**
Sedburgh St. *Burn* —7D **6**
Seedall Av. *Clith* —5D **2**
Sefton Av. *Burn* —5K **9**
Sefton Clo. *Clay M* —4B **16**
Sefton Clo. *Dar* —7G **27**
Sefton St. *Brier* —4C **6**
Sefton St. *Col* —3J **5**
Sefton St. *Nels* —1F **7**
Sefton Ter. *Burn* —5K **9**
Segar St. *Gt Har* —2H **15**
Selborne M. *B'brn* —2E **18**
(off Selborne St.)
Selborne St. *B'brn* —2E **18**
Selby Clo. *Acc* —5F **23**
Selby St. *Col* —3F **5**
Selby St. *Nels* —2F **7**
Seldon St. *Col* —4G **5**
Seldon St. *Nels* —7B **4**
Selkirk Clo. *B'brn* —1K **19**
Selkirk St. *Burn* —6J **9**
Selous Rd. *B'brn* —2E **18**
Serpentine Rd. *Burn* —6A **10**
Sett End Rd. *B'brn* —7B **20**
Settle Ter. *Burn* —7D **6**
Seven Trees Av. *B'brn* —4K **13**
Shackleton St. *Burn* —2C **10**
Shadsworth Clo. *B'brn* —4B **20**
Shadsworth Ind. Est. *B'brn*
—7B **20**
Shadsworth Ind. Pk. *B'brn* —6B **20**
Shadsworth Rd. *B'brn* —7B **20**
Shaftesbury Av. *Burn* —6A **10**
Shaftesbury Av. *Dar* —2C **26**
Shaftesbury St. *Gt Har* —1K **15**
Shakeshaft St. *Burn* —1K **19**
Shakespeare Av. *Gt Har* —3G **15**
Shakespeare St. *Pad* —3C **8**
(in two parts)
Shakespeare Way. *B'brn* —2F **19**
Shale St. *Burn* —4J **9**
Shannon Sq. *Burn* —7D **6**
Shap Clo. *Acc* —5F **23**
Shap Clo. *Barfd* —4A **4**
Shap Gro. *Burn* —6B **6**
Sharples St. *Acc* —3A **22**
Sharples St. *B'brn* —2G **19**
Sharp St. *Barfd* —5A **4**
Sharp St. *Burn* —1C **10**
Shawbridge Ct. *Clith* —5F **3**
Shawbrook Clo. *Rish* —7F **15**
Shaw Clo. *B'brn* —7F **13**
Shaw Clough Rd. *Ross* —2B **30**
Shaw Clough St. *Ross* —2B **30**
Shawfield. *Ross* —4F **29**
Shaw St. *B'brn* —7G **13**
Shaw St. *Col* —4F **5**
Shaw St. *Has* —6B **24**
Shays Dri. *Clith* —6F **3**
Shear Bank Clo. *B'brn* —6G **13**
Shear Bank Gdns. *B'brn* —6G **13**
Shear Bank Rd. *B'brn* —5G **13**
Shear Brow. *B'brn* —5G **13**
Shearwater Dri. *B'brn* —6J **13**
Sheddon Bros. *Burn* —5F **11**
Shed St. *Col* —4F **5**
Shed St. *Osw* —5J **21**
Sheep Grn. *Has* —2B **28**
Shelfield Rd. *Nels* —7E **4**
Shelley Dri. *Acc* —6F **23**
Shelley Gdns. *Gt Har* —3G **15**
Shelley Gro. *Dar* —4G **27**
Shepherd St. *Bacup* —2H **31**
Shepherd St. *Dar* —6E **26**
Sherbourne Rd. *Acc* —5F **23**

Sheridan St. *Burn* —7F **7**
(off Stanbury Dri.)
Sheridan St. *Nels* —6C **4**
Sherwood Ct. *Burn* —5D **10**
Sherwood Rd. *B'brn* —4A **20**
Sherwood Way. *Acc* —6B **16**
Shetland Clo. *B'brn* —5B **20**
Shetland St. *Wilp* —1B **14**
Ship All. *Burn* —5B **10**
(off Parker La.)
Shireburn Av. *Clith* —6C **2**
Shires, The. *B'brn* —7G **19**
Shop La. *Acc* —3E **22**
Shore Av. *Burn* —7G **7**
Shorey Bank. *Burn* —3B **10**
Shorrock La. *B'brn* —3B **18**
Shorrock St. *Dar* —5E **26**
Short Clough Clo. *Ross* —6G **25**
Short Clough La. *Ross* —6G **25**
Shortenbrook Dri. *Alt* —1F **17**
Shortenbrook Way. *Alt* —1F **17**
Short St. *Bacup* —5D **30**
Short St. *Col* —4G **5**
Showfield. *Wors* —4J **11**
Showley Brook Clo. *Wilp* —4B **14**
Showley Ct. *Clay D* —2A **14**
Shropshire Dri. *Wilp* —2B **14**
Shuttle Clo. *Acc* —2B **22**
(off Dale St.)
Shuttleworth St. *Burn* —7C **6**
Shuttleworth St. *Pad* —2B **8**
Shuttleworth St. *Rish* —5G **15**
Siddow's Av. *Clith* —6C **2**
Sidebeet La. *Rish* —7D **14**
Sidings, The. *Bacup* —5J **31**
Sidings, The. *Dar* —6F **27**
Siding St. *Bacup* —5E **30**
Sidmouth Av. *Has* —3C **28**
Silbury Clo. *B'brn* —5K **19**
Silloth Clo. *B'brn* —4J **19**
Silverdale Clo. *B'brn* —5J **19**
Silverdale Clo. *Burn* —6D **6**
Silverdale Clo. *Clay M* —5K **15**
Simmonds Way. *Brier* —2C **6**
Simmons St. *B'brn* —7G **13**
Simpson St. *Hap* —6B **8**
Simpson St. *Osw* —5J **21**
Size Ho. Rd. *Has* —3B **28**
Size Ho. Village. *Has* —3C **28**
Skelshaw Clo. *B'brn* —2K **19**
Skelton St. *Col* —3H **5**
Skiddaw Clo. *Burn* —1H **9**
Skiddaw St. *B'brn* —7K **13**
Skipton New Rd. *Col* —1H **5**
Skipton Old Rd. *Col* —2K **5**
Skipton Rd. *Col* —1H **5**
Skipton Rd. *Traw* —5J **5**
Skye Cres. *B'brn* —5B **20**
Slack Booth. *Traw* —7K **5**
Slack Royd. *Traw* —7K **5**
Slade La. *Pad* —1B **8**
(in two parts)
Slaidburn Av. *Burn* —6E **10**
Slaidburn Av. *Ross* —1G **29**
Slaidburn Dri. *Acc* —4B **22**
Slater Av. *Col* —2G **5**
Slater St. *B'brn* —4F **19**
Sliven Clod Rd. *Ross* —1E **24**
Smalley St. *Burn* —6C **10**
(in two parts)
Smalley Thorn Brow. *Gt Har*
—2E **14**
Smalley Way. *B'brn* —3H **19**
Smallshaw Ind. Est. *Burn* —5H **9**
Smallshaw La. *Burn* —4G **9**
(in two parts)
Smirthwaite St. *Burn* —5J **9**
Smith St. *Burn* —4A **10**
Smith St. *Col* —4F **5**
Smith St. *Nels* —1F **7**
Smith St. *Wors* —5J **11**
Smithy Bri. St. *Osw* —5J **21**
Smithy Brow. *Has* —1B **28**
(off High St.)
Smithy Brow Ct. *Has* —1B **28**
Smithyfield Av. *Burn* —4G **11**
Smithy La. *Col* —1E **4**
Smithy St. *Has* —2B **28**
(off Ratcliffe St.)
Snaefell Rd. *B'brn* —4H **19**

Snape St. *Dar* —2D **26**
Snell Gro. *Col* —2J **5**
Sniddle Hill La. *Dar* —5C **26**
Snowden Av. *B'brn* —5H **13**
Snowden St. *Burn* —4G **9**
Snowdrop Clo. *Has* —5A **28**
Snow St. *B'brn* —6J **13**
Solway Av. *B'brn* —4C **18**
Somerford Clo. *Burn* —3J **9**
Somerset Av. *Clith* —3F **3**
Somerset Av. *Dar* —2D **26**
Somerset Av. *Wilp* —2B **14**
Somerset Clo. *Osw* —5A **22**
Somerset Gro. *Chu* —1A **22**
Somerset Pl. *Nels* —7D **4**
Somerset Rd. *Rish* —6E **14**
Somerset St. *Burn* —7B **10**
Somerset Wlk. *Has* —5B **28**
Soudan St. *Burn* —7C **6**
Sough La. *Guide* —6E **20**
Sough Rd. *Dar* —5F **27**
Southcliffe. *Gt Har* —1G **15**
Southcliffe Av. *Burn* —3H **9**
South Dri. *Pad* —2C **8**
Southern Av. *Burn* —3H **9**
Southey St. *Burn* —4K **9**
Southfield La. *S'fld & Col* —2K **7**
Southfield Sq. *Nels* —1G **7**
Southfield St. *Nels* —1F **7**
S. Shore St. *Chu* —3K **21**
S. Shore St. *Has* —3A **28**
South St. *Acc* —7F **17**
(Burnley Rd.)
South St. *Acc* —3D **22**
(Nuttall St.)
South St. *Bacup* —5D **30**
(Brandwood Rd.)
South St. *Bacup* —3H **31**
(St James St.)
South St. *Burn* —4B **10**
South St. *Dar* —4E **26**
South St. *Has* —4C **28**
South St. *Newc* —4A **30**
South St. *Raw* —2G **29**
S. Valley Dri. *Col* —5F **5**
South Vw. *Gt Har* —2H **15**
South Vw. *Has* —2B **28**
South Vw. *Nels* —2E **6**
Southwake. *Burn* —4H **9**
(off Woodbine Rd.)
Southwood Dri. *Acc* —5F **23**
Southworth St. *B'brn* —3G **19**
Sow Clough Rd. *Bacup* —4F **31**
Sowerby St. *Pad* —2B **8**
Spa Gth. *Clith* —5F **3**
Sparth Av. *Clay M* —4A **16**
Sparth Rd. *Clay M* —4K **15**
Spa St. *Burn* —3K **9**
Spa St. *Pad* —2C **8**
Speedwell St. *B'brn* —3E **18**
Speke St. *B'brn* —3E **18**
Spencer St. *Acc* —2E **22**
Spencer St. *Bacup* —5E **30**
Spencer St. *Burn* —1B **10**
Spencer St. *Ross* —4G **25**
Spenser Clo. *Wors* —6K **11**
Spenser Gro. *Gt Har* —2G **15**
Spenser St. *Pad* —3C **8**
Spindle Berry Ct. *Acc* —4D **22**
Spinney, The. *B'brn* —4D **12**
Spinney, The. *Burn* —2J **9**
Spire Clo. *Dar* —5H **27**
Spout Ho. La. *Acc* —6G **17**
Spread Eagle St. *Osw* —3H **21**
Spring Av. *Gt Har* —1H **15**
Springbank. *Barfd* —3B **4**
Springbank Gdns. *Good* —2F **25**
Spring Bank Ter. *B'brn* —3F **19**
Spring Brook Ho. *Clay M* —5A **16**
(off Canal St.)
Spring Ct. *Col* —3G **5**
(off Derby St.)
Springfield Av. *Acc* —4A **22**
Springfield Av. *Bacup* —2J **31**
Springfield Av. *B'brn* —4B **18**
Springfield Bank. *Burn* —5B **10**
Springfield Clo. *Bacup* —2J **31**
(off Springfield Av.)
Springfield Dri. *Ross* —4A **30**
Springfield Flats. *Dar* —5E **26**

Springfield Rd. *Burn* —6B **10**
(in two parts)
Springfield Rd. *Gt Har* —3G **15**
Springfield Rd. *Nels* —3F **7**
Springfield Rd. *Ross* —2H **29**
Springfield St. *B'brn* —2E **18**
Springfield St. *Dar* —5E **26**
Springfield St. *Osw* —5J **21**
Springfield Ter. *B'brn* —4D **18**
Spring Gdns. *Acc* —3D **22**
Spring Gdns. *Bacup* —2J **31**
Spring Gdns. *Dar* —5E **26**
Spring Gdns. Ross —5G **25**
(off Lord St.)
Spring Gdns. *Ross* —7B **30**
(Springside)
Spring Gdns. *Wadd* —1B **2**
Spring Gdns. Rd. *Col* —4G **5**
Spring Gdns. St. *Ross* —5B **30**
Spring Gdns. Ter. *Pad* —1B **8**
Spring Hall. *Acc* —2A **16**
Spring Hill. B'brn —7H **13**
(off Lord Sq.)
Springhill. *Ross* —3J **29**
Springhill Av. *Bacup* —5F **31**
Spring Hill Rd. *Acc* —4A **22**
Spring Hill Rd. *Burn* —5A **10**
Springhill Vs. *Bacup* —5E **30**
Spring La. *B'brn* —2E **18**
(in two parts)
Spring La. *Col* —3G **5**
Spring La. *Has* —1B **28**
Spring Meadows. *Dar* —6H **27**
Spring Pl. *Col* —3G **5**
Springside. *Ross* —7B **30**
Spring St. *Acc* —4A **22**
Spring St. *Bacup* —4H **31**
Spring St. *Nels* —2D **6**
Spring St. *Osw* —4K **21**
Spring St. *Rish* —5G **15**
Spring St. *Ross* —4G **25**
Spring Ter. *Bacup* —5F **31**
Spring Ter. *Ross* —2F **25**
Spring Ter. S. *Ross* —3E **28**
Springthorpe St. *Dar* —7F **27**
Springvale. *Acc* —1A **22**
Springvale Bus. Pk. *Dar* —7F **27**
Spring Va. Rd. *Dar* —6F **27**
Spring Vw. *B'brn* —7F **13**
Springwood Rd. *Burn* —5F **11**
Spring Yd. *Col* —3G **5**
Spruce Ct. *Acc* —7F **17**
Sprucewood Clo. *Acc* —2E **22**
Square, The. Wadd —1B **2**
Square, The. Wors —5J **21**
(off Water St.)
Squire Rd. *Nels* —1G **7**
Squirrels Clo. *Acc* —7F **17**
Stables Clo. *Ross* —6G **25**
Stables, The. *Hap* —5B **8**
Stackhouses, The. Burn —4B **10**
(off Bank Pde.)
Stack La. *Bacup* —5K **31**
Staffa Cres. *B'brn* —4C **20**
Stafford St. *Burn* —3B **10**
Stafford St. *Dar* —1D **26**
Stafford St. *Nels* —1G **7**
Staghills Rd. *Ross* —3K **29**
Stainton St. *Burn* —2K **9**
Stakes Hall Pl. *B'brn* —3F **19**
Stamford Pl. *Clith* —4F **3**
Stanbury Clo. *Burn* —7F **7**
Stanbury Dri. *Burn* —7F **7**
Stancliffe St. *B'brn* —2E **18**
Stancliffe St. Ind. Est. *B'brn* —2F **19**
Standen Hall La. *Burn* —6F **7**
Standen Hall Dri. *Burn* —7E **6**
Standen Rd. *Clith* —6F **3**
Standen Rd. Bungalows. *Clith* —6F **3**
Standish St. *Burn* —2K **9**
Standroyd Dri. *Col* —3K **5**
Standroyd Rd. *Col* —3K **5**
Stanford Gdns. *B'brn* —4K **19**
Stanhill La. *Osw* —4G **21**
Stanhill Rd. *B'brn & Osw* —4D **20**
Stanhill St. *Osw* —5H **21**
Stanhope St. *Burn* —3A **10**
Stanhope St. *Dar* —3E **26**
Stanley Ct. *Acc* —1E **22**
Stanley Dri. *Dar* —7F **27**

Stanley Ga. *Mel* —2B **12**
Stanley Mt. *Bacup* —2H **31**
Stanley Range. *B'brn* —3E **18**
Stanley St. *Acc* —2D **22**
Stanley St. *Bacup* —1H **31**
Stanley St. *B'brn* —6K **13**
Stanley St. *Brier* —4C **6**
Stanley St. *Burn* —5A **10**
Stanley St. *Col* —3G **5**
Stanley St. *Nels* —1E **6**
Stanley St. *Osw* —5J **21**
Stansfield St. *B'brn* —2F **19**
Stansfield Clo. *Barfd* —4A **4**
Stansfield Rd. *Ross* —5A **30**
Stansfield St. *Bacup* —5E **30**
Stansfield St. *Burn* —5G **9**
Stansfield St. *Dar* —5E **26**
Stansfield St. *Nels* —1F **7**
Stanthorpe Wlk. *Burn* —1B **10**
Stanworth Rd. *Nels* —1E **6**
Stanworth St. *Wors* —5J **11**
Star Bank. *Bacup* —6F **31**
Starkie St. *B'brn* —7J **13**
Starkie St. *Burn* —5K **9**
Starkie St. *Dar* —5F **27**
Starkie St. *Pad* —2B **8**
Star St. *Acc* —3A **22**
Star St. *Dar* —4F **27**
Station Clo. *Rish* —7F **15**
Station Clo. *Wilp* —4B **14**
Station Rd. *Acc* —5F **17**
Station Rd. *Burn* —3B **10**
Station Rd. *Clith* —5E **2**
Station Rd. *Gt Har* —2J **15**
Station Rd. *Has* —1B **28**
Station Rd. *Helm* —6A **28**
Station Rd. *Pad* —2B **8**
Station Rd. *Rish* —7F **15**
Sted Ter. *B'brn* —6G **13**
Steer St. *Burn* —1C **10**
Steiner's La. Chu —1K **21**
(off York St.)
Steiner St. *Acc* —2B **22**
Stephenson St. *Burn* —3G **9**
Stephen St. *B'brn* —3E **18**
Stevenson St. E. *Acc* —3B **22**
Stevenson St. W. *Acc* —4A **22**
Stewart St. *B'brn* —5G **19**
Stewart St. *Burn* —6C **10**
Stirling Clo. *Clith* —7C **2**
Stirling Ct. *Brclf* —5J **7**
Stirling Dri. *B'brn* —1J **19**
Stirling St. *B'brn* —6K **13**
Stockbridge Dri. *Pad* —2D **8**
Stockbridge Rd. *Pad* —2C **8**
Stockclough La. *Fen* —6A **18**
Stockholm St. *Burn* —5G **9**
Stockwood Clo. *B'brn* —4D **12**
Stone Bri. La. *Osw* —5J **21**
Stonebridge Ter. *Col* —3H **5**
Stone Cft. *Barfd* —2B **4**
Stone Edge Rd. *Barfd* —2B **4**
Stone Hill Dri. *B'brn* —3K **13**
Stoneholme Ind. Est. *Ross* —4G **25**
Stoneholme Rd. *Ross* —4G **25**
Stone Holme Ter. *Ross* —4G **25**
Stonemoor Bottom. *Pad* —4B **8**
Stone St. *Bacup* —6D **30**
Stone St. *Ross* —3A **28**
(Hutch Bank Rd.)
Stone St. *Ross* —5B **30**
(Townsend St.)
Stoneybutts. B'brn —7H **13**
(off Lord Sq.)
Stoneycroft. *Wors* —5H **11**
Stoneyhurst Height. *Brier* —5E **6**
Stoney St. *Burn* —6C **10**
Stonyhurst Av. *Burn* —5E **10**
Stonyhurst Clo. *B'brn* —1G **19**
Stonyhurst Clo. *Pad* —4D **8**
Stonyhurst Rd. *B'brn* —1G **19**
Stoops Fold. *Mel* —1B **12**
Stoop St. *Burn* —5H **9**
Stopes Brow. *Lwr D* —6K **19**
Stopford St. *Clay M* —4A **16**
Store St. *Has* —2B **28**
Store St. *Lwr D* —6K **19**
Stott St. *Nels* —1E **6**
Stourton St. *Rish* —5F **15**
Stout St. *B'brn* —1G **19**

Straits. *Osw* —4K **21**
Strange St. *Burn* —6C **10**
Stratford Way. *Acc* —1B **22**
Stratford Way. *Col* —3J **5**
Strathclyde Rd. *B'brn* —1K **19**
Strawberry Bank. *B'brn* —7G **13**
Streatly Wlk. *B'brn* —5K **19**
Stroyan St. *Burn* —5D **10**
Stuart Av. *Bacup* —5F **31**
Stuart Clo. *Dar* —4E **26**
Stuart St. *Acc* —1C **22**
Stubbylee La. *Bacup* —5H **31**
Sudell Clo. *Dar* —4G **27**
Sudell Cross. B'brn —7H **13**
(off Limebrick)
Sudell Nook. *Guide* —7B **20**
Sudell Rd. *Dar* —4E **26**
Sudellside St. *Dar* —4F **27**
Suffolk Av. *Burn* —4F **9**
Suffolk St. *B'brn* —5F **19**
Sulby Rd. *B'brn* —4H **19**
Sullivan Dri. *B'brn* —4K **19**
Sultan St. *Acc* —2D **22**
Summer Brook. *Nels* —2D **6**
Summer St. *Nels* —2D **6**
Summerton Wlk. Dar —3E **26**
(off Allerton Clo.)
Summerville Wlk. *B'brn* —7G **13**
Sumner St. *B'brn* —2G **19**
(in two parts)
Suncliffe Rd. *Brier* —5E **6**
Sunderland St. *Burn* —4G **9**
Sunnindale Av. *Ross* —4C **30**
Sunningdale Gdns. *Burn* —6E **6**
Sunnybank. *Ross* —4G **25**
Sunnybank Clo. *Ross* —7A **28**
Sunnybank Dri. *Osw* —6H **21**
Sunny Bank Rd. *B'brn* —4G **19**
Sunny Bank Rd. *Helm* —7A **28**
Sunnybank St. *Dar* —4E **26**
Sunnybank St. *Has* —2A **28**
Sunny Bower Clo. *B'brn* —6A **14**
Sunny Bower Rd. *B'brn* —6A **14**
Sunnyfield La. *Hodd* —4K **27**
Sunnyhill Clo. *Dar* —3B **26**
Sunnyhurst Clo. *Dar* —3B **26**
Sunnyhurst La. *Dar* —3B **26**
Sunnyhurst Rd. *B'brn* —1G **19**
Sunnyhurst Wood & Vis. Cen.
—3B **26**
Sunny Lea St. *Ross* —7F **25**
Sunnymere Dri. *Dar* —3C **26**
Sunnyside Av. *Cher T* —5B **18**
Sunnyside Av. *Wilp* —1C **14**
Sunnyside Clo. *Ross* —6G **25**
Sun St. *Col* —3H **5**
Sun St. *Nels* —1D **6**
Sun St. *Osw* —4K **21**
Super St. *Clay M* —3K **15**
Surrey Av. *Burn* —3G **9**
Surrey Av. *Dar* —2D **26**
Surrey Rd. *B'brn* —3C **20**
Surrey Rd. *Nels* —6A **4**
Surrey St. *Acc* —1E **22**
Sussex Clo. *Chu* —1A **22**
Sussex Dri. *B'brn* —1K **19**
Sussex Dri. *Has* —5B **28**
Sussex Rd. *Rish* —6E **14**
Sussex St. *Burn* —6C **10**
Sussex St. *Nels* —7B **4**
Sussex Wlk. *B'brn* —1K **19**
Sutcliffe St. *Bacup* —5K **31**
Sutcliffe St. *Brclf* —6G **7**
Sutcliffe St. *Burn* —4A **10**
Sutherland Clo. *Wilp* —1C **14**
Sutherland St. *Col* —4F **5**
Sutton Av. *Burn* —7E **6**
Sutton Cres. *Hun* —6G **17**
Sutton St. *B'brn* —5A **18**
Swainbank St. *Burn* —5C **10**
Swaine St. *Nels* —1D **6**
Swaledale Av. *Burn* —5C **6**
Swallow Dri. *B'brn* —6H **13**
Swallowfields. *B'brn* —4G **13**
Swallow Pk. *Burn* —5H **9**
Swanage Rd. *Burn* —1D **10**
Swan Courtyard. *Clith* —5E **2**
Swan Farm Clo. *Lwr D* —6J **19**
Swanfield Ct. *Col* —3K **5**

Swanfield Ter. *Col* —3K **5**
Swan Mdw. *Clith* —4D **2**
Swan Pl. Col —3H **5**
(off Market St.)
Swan St. *B'brn* —2H **19**
Swan St. *Dar* —7F **27**
Sweet Clough Dri. *Burn* —4E **8**
Swift Clo. *B'brn* —7J **13**
Swinburne Clo. *Acc* —6F **23**
Swinden Hall Rd. *Nels* —6B **4**
Swinden La. *Col* —6D **4**
Swindon St. *Burn* —5J **9**
Swinless St. *Burn* —1C **10**
Swinshaw Clo. *Ross* —2G **25**
Swiss St. *Acc* —2A **22**
Sycamore Av. *Burn* —3F **9**
Sycamore Clo. *B'brn* —4J **13**
Sycamore Clo. *Burn* —4H **9**
Sycamore Clo. *Rish* —7G **15**
Sycamore Cres. *Clay M* —2B **16**
Sycamore Cres. *Ross* —4F **29**
Sycamore Gro. *Acc* —5F **23**
Sycamore Gro. *Dar* —3F **27**
Sycamore Rd. *B'brn* —4J **13**
Sydney St. *Acc* —2D **22**
Sydney St. *Burn* —4A **10**
Sydney St. *Clay M* —6B **16**
Sydney St. *Dar* —6F **27**
Sydney St. *Hodd* —4K **27**
Sydney Ter. *Traw* —5K **5**
Sykefield. *Brier* —4B **6**
Syke Side Dri. *Alt* —1F **17**
Syke St. *Has* —4C **28**

Tabor St. *Burn* —3J **9**
Tadema St. *Burn* —7A **10**
Talbot Av. *Clay M* —5A **16**
Talbot Clo. *Clith* —6F **3**
Talbot Clo. *Ross* —5E **28**
Talbot Dri. *Brclf* —7G **7**
Talbot Rd. *Acc* —7B **16**
Talbot St. *Brclf* —6G **7**
Talbot St. *Burn* —4C **10**
Talbot St. *Col* —2G **5**
Talbot St. *Rish* —6H **15**
Tanner St. *Burn* —4A **10**
Tanpits Rd. *Chu* —2K **21**
Tapestry St. *B'brn* —4G **19**
Tarbert Cres. *B'brn* —4C **20**
Tarleton Av. *Burn* —6C **10**
Tarleton St. *Burn* —6C **10**
Tarn Av. *Clay M* —3A **16**
Tarn Brook Clo. *Hun* —6G **17**
Tarvin Clo. *Brclf* —6G **7**
Tasker St. *Acc* —2D **22**
Tattersall Sq. *Ross* —2B **30**
Tattersall St. *B'brn* —1H **19**
Tattersall St. *Osw* —4J **21**
Tattersall St. *Pad* —2C **8**
Tattersall St. *Ross* —6B **24**
Tatton St. *Col* —5E **4**
Taunton Rd. *Burn* —7E **12**
Tavistock St. *Nels* —1G **7**
Taylor Av. *Ross* —3B **30**
Taylor Clo. *B'brn* —2G **19**
Taylor Holme Ind. Est. *Bacup*
—5D **30**
Taylor St. *B'brn* —2G **19**
Taylor St. *Brier* —3C **6**
Taylor St. *Burn* —2B **10**
Taylor St. *Clith* —5F **3**
Taylor St. *Dar* —5E **26**
Taylor St. *Ross* —2G **29**
(Greenfield St.)
Taylor St. *Ross* —6B **24**
(Pilling St.)
Taylor St. W. *Acc* —2C **22**
Tay St. *Burn* —5J **9**
Teal Clo. *B'brn* —4G **13**
Tedder Av. *Burn* —4G **9**
Telford St. *Burn* —3H **9**
Temple Clo. *B'brn* —4A **20**
Temple Ct. *B'brn* —7H **13**
Temple Dri. *B'brn* —4A **20**
Temple St. *Burn* —5C **10**
Temple St. *Col* —2H **5**
Temple St. *Nels* —1G **7**
Templeton Clo. *Dar* —3E **26**
Tenby Clo. *B'brn* —5H **13**

Tennis St. *Burn* —2B **10**
Tennyson Av. *Osw* —4H **21**
Tennyson Av. *Pad* —3D **8**
Tennyson Pl. *Gt Har* —3G **15**
Tennyson Rd. *Col* —3F **5**
Tennyson St. *Brclf* —6G **7**
Tennyson St. *Burn* —5J **9**
Tennyson St. *Hap* —6B **8**
Tenterfield St. *Ross* —5B **30**
Tenterheads. *Ross* —6B **30**
Terry St. *Nels* —6D **4**
Tetbury Clo. *B'brn* —5B **18**
Tewkesbury Clo. *Acc* —5F **23**
Tewkesbury St. *B'brn* —4E **18**
Thames St. *Burn* —6D **6**
Thirlmere Av. *Burn* —7B **6**
Thirlmere Av. *Col* —2J **5**
Thirlmere Av. *Has* —5C **28**
Thirlmere Av. *Pad* —1B **8**
Thirlmere Clo. *Acc* —6E **16**
Thirlmere Clo. *B'brn* —6J **13**
Thirlmere Dri. *Dar* —3G **27**
Thirlmere Rd. *Burn* —5F **11**
Thirlmere Way. *Ross* —3G **25**
Thistlemount Av. *Ross* —4B **30**
Thistle St. *Bacup* —3H **31**
Thomas St. *B'brn* —1G **19**
Thomas St. *Burn* —5B **10**
Thomas St. *Col* —4F **5**
Thomas St. *Has* —2A **28**
Thomas St. *Nels* —4B **6**
(Clitheroe Rd.)
Thomas St. *Nels* —2F **7**
(Duerden St.)
Thomas St. *Osw* —5J **21**
Thompson St. *B'brn* —1F **19**
Thompson St. *Dar* —6F **27**
Thompson St. *Pad* —2B **8**
Thompson St. Ind. Est. B'brn
(off Thompson St.) —1F **19**
Thorn Bank. *Bacup* —3J **31**
Thornber Clo. *Burn* —1D **10**
Thornber St. *B'brn* —2F **19**
Thorncliffe Dri. *Dar* —5H **27**
Thorn Clo. *Bacup* —3J **31**
Thorn Cres. *Bacup* —3J **31**
Thorn Dri. *Bacup* —3J **31**
Thorne St. *Nels* —6D **4**
Thorneybank Ind. Est. *Hap* —5K **17**
Thorneybank St. *Burn* —5A **10**
Thorneyholme Rd. *Acc* —1D **22**
Thornfield Av. *Ross* —4A **30**
Thorn Gdns. *Bacup* —3J **31**
Thorn Gro. *Col* —2J **5**
Thornhill Av. *Rish* —7F **15**
Thorn Hill Clo. *B'brn* —7K **13**
Thornhill St. *Burn* —4F **9**
Thornley Av. *B'brn* —2B **20**
Thorn St. *Bacup* —3J **31**
Thorn St. *Burn* —2B **10**
Thorn St. *Clith* —5D **2**
Thorn St. *Gt Har* —1J **15**
Thorn St. *Ross* —7F **25**
Thornton Clo. *Acc* —7B **16**
Thornton Clo. *B'brn* —5J **19**
Thornton Cres. *Burn* —5F **11**
Thornton Rd. *Burn* —5F **11**
Thornwood Clo. *B'brn* —3H **13**
Throstle Clo. *Burn* —3B **10**
Throstle St. *B'brn* —1F **19**
Throstle St. *Nels* —7B **4**
Throup Pl. *Nels* —6B **4**
Thursby Pl. *Nels* —6C **4**
Thursby Rd. *Burn* —1C **10**
Thursby Rd. *Nels* —6C **4**
Thursby Sq. *Burn* —2B **10**
Thursby St. *Burn* —1C **10**
Thursden Av. *Brclf* —6G **7**
Thursden Pl. *Nels* —7E **4**
Thursfield Rd. *Burn* —5C **10**
Thurston St. *Burn* —4C **10**
Thwaites Av. *Mel* —2B **12**
Thwaites Rd. *Osw* —5H **21**
Thwaites St. *Osw* —5H **21**
Tiber Av. *Burn* —6H **9**
Timber St. *Acc* —3D **22**
Timber St. *Bacup* —4H **31**
Timber St. *Brier* —3C **6**
Tinedale Vw. *Pad* —1C **8**
Tintern Clo. *Acc* —6F **23**

Tintern Cres. *B'brn* —7A **14**
Tippet Clo. *B'brn* —4K **19**
Tiverton Dri. *B'brn* —5F **19**
Tiverton Dri. *Brclf* —6G **7**
Tockholes Rd. *Dar* —3C **26**
Todd Carr Rd. *Ross* —4B **30**
Todd Hall Rd. *Has* —2A **28**
Toddy Fold. *B'brn* —3H **13**
Todmorden Old Rd. *Bacup* —2J **31**
Todmorden Rd. *Bacup* —2J **31**
Todmorden Rd. *Brclf* —6H **7**
Todmorden Rd. *Burn* —5C **10**
Toll Bar Bus. Pk. *Bacup* —5E **30**
Tom La. *Ross* —3B **30**
Tong La. *Bacup* —2J **31**
Tontine St. *B'brn* —7H **13**
Topaz St. *B'brn* —2J **13**
Top Barn La. *Ross* —4K **29**
Top o' th' Cft. *B'brn* —5G **19**
Tor End Rd. *Ross* —7A **28**
Toronto Rd. *B'brn* —4F **13**
Torquay Av. *Burn* —7D **6**
Torridon Clo. *B'brn* —4C **18**
Torver Clo. *Burn* —2G **9**
Tor Vw. *Ross* —4G **29**
Tor Vw. Rd. *Has* —4C **28**
Tottenham Rd. *Lwr D* —6J **19**
Tottleworth Rd. *B'brn* —4H **15**
Tourist Info. Cen. —2D **22**
(Accrington)
Tourist Info. Cen. —7H **13**
(Blackburn)
Tourist Info. Cen. —5A **10**
(Burnley)
Tourist Info. Cen. —1E **6**
(Nelson)
Tourist Info. Cen. —3G 29
(off Kay St., Rawtenstall)
Tower Hill. *Clith* —4F **3**
Tower Rd. *B'brn* —3A **18**
Tower Rd. *Dar* —5F **27**
Tower St. *Bacup* —3H **31**
Tower St. *Osw* —3G **21**
Tower Vw. *Dar* —4G **27**
Towneley Av. *Acc* —5G **17**
Towneley Golf Course. —6D **10**
Towneley Hall. —7D **10**
(Art Gallery & Mus.)
Towneley 9 Hole Golf Course.
—6E **10**
Towneley St. *Burn* —1C **10**
Townfield Av. *Burn* —4G **11**
Towngate. *Gt Har* —2H **15**
(off Church St.)
Town Hall Sq. Gt Har —2H **15**
(off Blackburn Rd.)
Town Hall St. *B'brn* —7H **13**
Town Hall St. Gt Har —2H **15**
(off Curate St.)
Town Hall Bank. *Pad* —1C **8**
Town Ho. Rd. *Nels* —1J **7**
Townley St. *Brclf* —6G **7**
Townley St. *Brier* —4C **6**
Townley St. *Col* —2H **5**
Townsend St. *Has* —2A **28**
Townsend St. *Waterf* —5B **30**
Townsley St. *Nels* —3F **7**
Town Vw. *B'brn* —1J **19**
Town Wlk. B'brn —1J **19**
(off Town Vw.)
Trafalgar St. *Burn* —4K **9**
Trans Britannia Enterprise Cen. *Burn*
—7G **9**
Travis St. *Burn* —2B **10**
Trawden Clo. *Acc* —4D **22**
Trawden Hill. Traw —6K **5**
(off Colne Rd.)
Tremellen St. *Acc* —2B **22**
Trent Rd. *Nels* —1H **7**
(in two parts)
Tresco Clo. *B'brn* —4E **18**
Trevor Clo. *B'brn* —5H **13**
Trinity Clo. *Pad* —4C **8**
Trinity Ct. *B'brn* —6J **13**
Trinity St. *Bacup* —5E **30**
Trinity St. *B'brn* —7J **13**
Trinity St. *Osw* —5J **21**
Trinity Towers. Burn —4K **9**
(off Accrington Rd.)
Troon Av. *B'brn* —5B **20**

Trout Beck. *Clay M* —3A **16**
Troutbeck Clo. *Burn* —2G **9**
Trout St. Burn —2B **10**
(off Grey St.)
Troy St. *B'brn* —5J **13**
(in two parts)
Tucker Hill. *Clith* —4E **2**
Tudor Clo. *Dar* —3E **26**
Tunnel St. *Burn* —4J **9**
Tunnel St. *Dar* —6G **27**
Tunstall Dri. *Acc* —6C **16**
Tunstead Cres. *Bacup* —4C **30**
Tunstead La. *Bacup* —4C **30**
(in two parts)
Tunstead Mill Ter. Bacup —5D **30**
(off Newchurch Rd.)
Tunstead Rd. *Bacup* —5E **30**
Tunstill Fold. *Fence* —1A **6**
Tunstill Sq. *Brier* —4C **6**
Tunstill St. *Burn* —1C **10**
Turf St. *Burn* —5B **10**
Turkey St. *Acc* —1E **22**
Turncroft Rd. *Dar* —5F **27**
Turner Rd. *Nels* —1C **6**
Turner St. *Bacup* —5E **30**
Turner St. *B'brn* —1F **19**
Turner St. *Clith* —6E **2**
Turney Crook M. *Col* —3G **5**
Turn La. *Dar* —4C **26**
Turnpike. *Ross* —4A **30**
Turnpike Gro. *Osw* —3G **21**
Turton Gro. *Burn* —4D **10**
Turton Hollow Rd. *Ross* —4G **25**
Tuscan Av. *Burn* —5H **9**
Twitter La. *Bas E & Wadd* —3A **2**
Two Gates Dri. *Dar* —3F **27**
Two Gates Wlk. *Dar* —4F **27**
Tynwald Rd. *B'brn* —4H **19**
Tythebarn St. *Dar* —4F **27**

UIdale Clo. *Nels* —3F **7**
Ullswater Av. *Acc* —6E **16**
Ullswater Clo. *B'brn* —6J **13**
Ullswater Clo. *Rish* —6F **15**
Ullswater Rd. *Burn* —5G **11**
Ullswater Way. *Ross* —3G **25**
Ulpha Clo. *Burn* —2G **9**
Ulster St. *Burn* —5J **9**
Ulverston Clo. *B'brn* —4K **19**
Ulverston Dri. *Rish* —6F **15**
Underbank Clo. *Bacup* —2H **31**
Underbank Cotts. *Acc* —5A **24**
Underbank Rd. *Ris B* —5A **24**
Underbank Rd. *Ross* —2A **28**
Underbank Way. *Has* —2A **28**
Under Billinge La. *B'brn* —1B **18**
Underley St. *Burn* —6D **6**
Union Ct. Bacup —5E **30**
(off Old School M.)
Union Rd. *Osw* —5J **21**
Union Rd. *Ross* —3D **28**
Union Sq. Bacup —3H **31**
(off Union St.)
Union St. *Acc* —2C **22**
Union St. *Bacup* —5E **30**
(Church St.)
Union St. *Bacup* —3H **31**
(Market St.)
Union St. *B'brn* —2H **19**
Union St. *Brier* —4C **6**
Union St. *Clith* —5C **2**
Union St. *Col* —3H **5**
Union St. *Dar* —4E **26**
Union St. *Has* —2A **28**
Union St. *Raw* —2G **29**
Union Ter. *Raw* —3J **29**
Unity St. *B'brn* —3H **19**
Unity St. *Dar* —4F **27**
Unity Way. *Raw* —2F **29**
Unsworth St. *Bacup* —6F **31**
Up Brooks. *Clith* —4F **3**
(in two parts)
Up Brooks Ind. Est. *Clith* —4G **3**
Up. Ashmount. *Ross* —4J **29**
Up. Cliffe. *Gt Har* —1H **15**

Vale Ct. *Hun* —6G **17**
Va. Rock Gdns. *Hodd* —4K **27**

Vale St. *Bacup* —2J **31**
Vale St. *B'brn* —3H **19**
Vale St. *Dar* —4D **26**
Vale St. *Has* —1B **28**
Vale St. *Nels* —1G **7**
Vale Ter. *Ross* —2B **30**
Valley Centre, The. *Ross* —3G **29**
Valley Clo. *Nels* —7D **4**
Valley Dri. *Pad* —2C **8**
Valley Gdns. *Hap* —6E **8**
Valley Rd. *Wilp* —3B **14**
Valley St. *Burn* —6G **9**
Valli Ga. *B'brn* —1A **20**
Vancouver Cres. *B'brn* —4F **13**
Vardon Rd. *B'brn* —2E **18**
Varley St. *Col* —2H **5**
Varley St. *Dar* —4E **26**
Vaughan St. *Nels* —2G **7**
Vauxhall St. *B'brn* —2E **18**
Veevers St. *Brier* —4B **6**
Veevers St. Burn —4A **10**
(off Calder St.)
Veevers St. *Pad* —2C **8**
Venables Av. *Col* —2J **5**
Venice Av. *Burn* —6H **9**
Venice St. *Burn* —5J **9**
Ventnor Rd. *Has* —4C **28**
Venture Ct. *Alt* —2E **16**
Venture St. *Bacup* —2J **31**
Verax St. *Bacup* —4H **31**
Vernon St. *B'brn* —1H **19**
Vernon St. *Dar* —4F **27**
Vernon St. *Nels* —2F **7**
Verona Av. Burn —5H **9**
(off Florence Av.)
Veronica St. *Dar* —1C **26**
Vicarage Av. *Pad* —2A **8**
Vicarage Dri. *Dar* —5G **27**
Vicarage La. *Acc* —7F **23**
Vicarage La. *Wilp* —2A **14**
Vicarage Rd. *Nels* —2E **6**
Vicar St. *B'brn* —7J **13**
Vicar St. *Gt Har* —3H **15**
Victoria Apartments. Pad —1B **8**
(off Habergham St.)
Victoria Av. *Bax* —6E **22**
Victoria Av. *B'brn* —4B **18**
Victoria Av. *Brier* —3C **6**
Victoria Bldgs. *Waters* —2J **27**
Victoria Bus. & Ind. Cen. *Acc*
—3C **22**
Victoria Ct. B'brn —7H **13**
(off Blackburn Shop. Cen.)
Victoria Ct. *Chat* —1K **3**
Victoria Ct. *Pad* —3D **8**
Victoria Dri. *Has* —3A **28**
Victoria Gdns. *Barfd* —6A **4**
Victoria Ho. *B'brn* —5A **20**
Victoria Pde. *Ross* —5A **30**
Victoria Rd. *Pad* —2C **8**
Victoria St. *Acc* —3C **22**
Victoria St. *Bacup* —5F **31**
Victoria St. *Barfd* —5A **4**
Victoria St. *B'brn* —7H **13**
Victoria St. *Burn* —5A **10**
Victoria St. *Chu* —2K **21**
Victoria St. *Clay M* —5A **16**
Victoria St. *Clith* —6D **2**
Victoria St. *Dar* —4E **26**
Victoria St. *Gt Har* —2J **15**
Victoria St. *Has* —2A **28**
Victoria St. *Nels* —1D **6**
Victoria St. *Osw* —5J **21**
Victoria St. *Raw* —4J **29**
Victoria St. *Rish* —6G **15**
Victoria St. *Ross* —5A **30**
Victoria Way. *Raw* —3J **29**
Victor St. *Clay M* —4A **16**
Victory Cen, The. *Nels* —1F **7**
Victory Clo. *Nels* —1F **7**
View Rd. *Dar* —1C **26**
Viking Pl. *Burn* —3B **10**
Villiers St. *Burn* —5H **9**
Villiers St. *Pad* —3C **8**
Vincent Ct. *B'brn* —5G **19**
Vincent Rd. *Nels* —1G **7**
Vincent St. *B'brn* —5G **19**
Vincent St. *Col* —2J **5**
Vincit St. *Burn* —2C **10**
Vine St. *Acc* —2B **22**

Vine St. *Brier* —4C **6**
Vine St. *Osw* —5H **21**
Violet St. *Burn* —1B **10**
Viscount Av. *Lwr D* —7K **19**
Vivary Way. *Col* —4E **4**
Vulcan St. *Burn* —4A **10**
Vulcan St. *Nels* —7C **4**

Wackersall Rd. *Col* —5E **4**
Waddington Av. *Burn* —4E **10**
Waddington Hospital. *Wadd* —1B **2**
Waddington Rd. *Acc* —1E **22**
Waddington Rd. *Clith* —3D **2**
Waddington Rd. *W Brad* —1D **2**
Waddington St. *Pad* —2C **8**
Waddow Grn. *Clith* —5C **2**
Waddow Gro. *Wadd* —1C **2**
Waddow Vw. *Wadd* —1B **2**
Wade St. *Pad* —1C **8**
Waidshouse Clo. *Nels* —3F **7**
Waidshouse Rd. *Nels* —3F **7**
Wain Ct. *B'brn* —1E **18**
Waingate Clo. *Ross* —2H **29**
Waingate La. *Ross* —2H **29**
Waingate Rd. *Ross* —2H **29**
Walden Rd. *B'brn* —4B **14**
Wales Rd. *Ross* —4B **30**
Wales St. *Ross* —3B **30**
Wales Ter. *Ross* —4B **30**
Walker Av. *Acc* —4B **22**
Walker St. *B'brn* —1J **19**
Walker St. *Clith* —5F **3**
Wallhurst Clo. *Wors* —5J **11**
(in two parts)
Wallstreams La. *Wors* —5J **11**
Wall St. *Ross* —3A **30**
Walmesley Ct. *Clay M* —6A **16**
Walmsley Av. *Rish* —7F **15**
Walmsley Clo. *Chu* —2K **21**
Walmsley St. *Dar* —3F **27**
Walmsley St. *Gt Har* —2H **15**
Walmsley St. *Rish* —6G **15**
Walney Gdns. *B'brn* —4J **19**
Walnut Av. *Has* —2C **28**
Walnut St. *Bacup* —2H **31**
Walnut St. *B'brn* —5J **13**
Walpole St. *B'brn* —1J **19**
Walpole St. *Burn* —1C **10**
Walsden Gro. *Burn* —4D **10**
Walshaw La. *Burn* —7E **6**
Walshaw St. *Burn* —2C **10**
Walsh St. *B'brn* —3H **19**
Walter St. *Acc* —2B **22**
Walter St. *B'brn* —1K **19**
Walter St. *Brier* —5C **6**
Walter St. *Dar* —7F **27**
Walter St. *Hun* —5F **17**
Walter St. *Osw* —3G **5**
Waltham Clo. *Acc* —5F **23**
Walton Clo. *Bacup* —4J **31**
Walton Cottage Homes. *Nels* —7D **4**
(off Broadway Pl.)
Walton Cres. *B'brn* —4K **19**
Walton Dri. *Alt* —1F **17**
Walton La. *Nels* —6C **4**
Walton St. *Acc* —6B **16**
Walton St. *Col* —3G **5**
(in two parts)
Walton St. *Nels* —7B **4**
Walverden Cres. *Nels* —1G **7**
Walverden Rd. *Brclf* —5J **7**
Walverden Rd. *Brier* —4E **6**
Walverden Ter. *Nels* —2G **7**
Wansfell Rd. *Clith* —6C **2**
Warburton Bldgs. *Has* —4A **28**
Warburton St. *Has* —4A **28**
Warcock La. *Bacup* —2K **31**
Ward Av. *Osw* —5H **21**
Wardle St. *Bacup* —5F **31**
Ward St. *Burn* —4K **9**
Ward St. *Gt Har* —2H **15**
Ward St. *Nels* —1F **7**
Wareham Clo. *Acc* —6C **16**
Wareham St. *B'brn* —5K **13**
Warings, The. *Nels* —3F **7**
Warkworth Ter. *Bacup* —2J **31**
(off Venture St.)
Warmden Av. *Acc* —5F **23**

Warmden Gdns. *B'brn* —5K **13**
Warner St. *Acc* —3D **22**
Warner St. *Has* —2B **28**
Warrenside Clo. *B'brn* —4C **14**
Warren, The. *B'brn* —5D **12**
Warrington St. *B'brn* —4K **13**
Warth Old Rd. *Ross* —5A **30**
Warwick Av. *Acc* —1B **22**
Warwick Av. *Clay M* —4A **16**
(in two parts)
Warwick Av. *Dar* —2C **26**
Warwick Clo. *Chu* —1A **22**
Warwick Dri. *Brier* —4E **6**
Warwick Dri. *Clith* —3F **3**
Warwick Dri. *Pad* —3C **8**
Warwick St. *Chu* —1A **22**
Warwick St. *Has* —2B **28**
Warwick St. *Nels* —2F **7**
Wasdale Av. *Burn* —5B **20**
Wasdale Clo. *Pad* —1B **8**
Washington St. *Acc* —2D **22**
Waterbarn La. *Bacup* —5D **30**
Waterbarn St. *Burn* —1C **10**
Waterfall Ind. Est. B'brn —3F **19**
(off Dimmock St.)
Waterfield Av. *Dar* —7F **27**
Waterford St. *Nels* —7K **4**
Waterloo. *Acc* —1C **22**
Waterloo Clo. *B'brn* —5E **18**
Waterloo Rd. *Burn* —5C **10**
(in two parts)
Waterloo Rd. *Clith* —5F **3**
Waterloo St. *Clay M* —6B **16**
Water Meadows. *B'brn* —6G **19**
Waters Edge. *B'brn* —2J **19**
Waterside Ind. Est. *Col* —4H **5**
Waterside M. *Pad* —2B **8**
Waterside Rd. *Col* —4G **5**
Waterside Rd. *Has* —3A **28**
Waterside Ter. Bacup —2H **31**
(off Myrtle Bank Rd.)
Waterside Ter. *Waters* —2J **27**
Water St. *Acc* —2D **22**
(in two parts)
Water St. *Barfd* —4A **4**
Water St. *Clay M* —2A **16**
Water St. *Col* —3H **5**
Water St. *Craw* —4G **25**
Water St. *Gt Har* —2H **15**
Water St. *Hap* —6B **8**
Water St. *Nels* —1F **7**
Water St. *Wors* —5J **11**
Watery La. *Dar* —7F **27**
Watford St. *B'brn* —6H **13**
Watkins Clo. *Brier* —5D **6**
Watling Clo. *B'brn* —5K **19**
Watson St. *B'brn* —3E **18**
Watson St. *Osw* —5K **21**
Watt St. *Burn* —3H **9**
Wavell Clo. *Acc* —7G **23**
Wavell St. *Burn* —4H **9**
Waverledge Bus. Pk. *Gt Har* —3G **15**
Waverledge Rd. *Gt Har* —3G **15**
Waverledge St. *Gt Har* —3H **15**
Waverley Clo. *Brier* —5E **6**
Waverley Pl. *B'brn* —7E **12**
Waverley Rd. *Acc* —5F **23**
Waverley Rd. *Int* —4D **19**
Waverley Rd. *Rams* —4A **14**
Waverley St. *Burn* —4K **9**
Weatherhill Cres. *Brier* —4F **7**
Weavers' Triangle Vis. Cen.
—5A **10**
Webber Ct. *Burn* —7F **9**
Weber St. *Ross* —4K **29**
Wedgewood Rd. *Acc* —6G **17**
Weir St. *B'brn* —1H **19**
Welbeck Av. *B'brn* —7A **14**
Weldon St. *Burn* —5K **9**
Well Ct. Clith —4F **3**
(off Causeway Cft.)
Wellesley St. *Burn* —4E **8**
Wellfield. *Clay M* —5B **16**
Wellfield Dri. *Burn* —2H **9**
Wellfield Rd. *B'brn* —6F **19**
Well Fold. *Clith* —5F **3**
Wellgate. *Clith* —5E **2**
Wellington Ct. *Acc* —3D **22**
Wellington Ct. *Burn* —5C **10**
Wellington Fold. *Dar* —4E **26**

Wellington Rd. *B'brn* —2F **19**
Wellington St. *Acc* —3D **22**
Wellington St. *B'brn* —6G **13**
Wellington St. *Clay M* —5A **16**
Wellington St. *Gt Har* —3H **15**
Wellington St. *Nels* —7A **4**
Wells St. *Has* —2B **28**
Well St. *Pad* —1A **8**
Well St. *Rish* —5G **15**
Well St. *Waterf* —2B **30**
Well Ter. *Clith* —4F **3**
Wenning St. *Nels* —2G **7**
Wensley Clo. *Burn* —7K **9**
Wensley Dri. *Acc* —2E **22**
Wensley Rd. *B'brn* —1E **18**
Wesleyan Row. *Clith* —5E **2**
Wesley Gro. *Burn* —3J **9**
Wesley Pl. *Bacup* —4G **31**
Wesley St. *B'brn* —5J **13**
Wesley St. *Brier* —3C **6**
Wesley St. *Chu* —2A **22**
Wesley St. *Osw* —3K **21**
Wesley St. *Pad* —2C **8**
Wessex Clo. *Acc* —7F **17**
Westbourne. *Ross* —5A **28**
Westbourne Av. *Burn* —6J **9**
Westbourne Av. S. *Burn* —7K **4**
W. Bradford Rd. *Clith* —1F **3**
W. Bradford Rd. *Wadd* —1B **2**
Westbury Clo. *Burn* —7F **7**
Westbury Gdns. *B'brn* —4B **20**
Westcliffe. *Gt Har* —1G **15**
Westcliffe Wlk. *Nels* —2E **6**
Westcote St. *Dar* —7F **27**
West Cres. *Acc* —7C **16**
W. End Bus. Pk. *Osw* —3G **21**
Western Av. *Burn* —6K **9**
Western Ct. *Bacup* —5E **30**
Western Rd. *Bacup* —5E **30**
Westfield. *Nels* —7A **4**
West Gdns. Bacup —5D **30**
(off West Vw.)
Westgate. *Burn* —4K **9**
Westgate Trad. Cen. Burn —4A **10**
(off Wiseman St.)
West Hill. *Barfd* —4A **4**
Westland Av. *Dar* —5D **26**
W. Leigh Rd. *B'brn* —4F **13**
Westminster Clo. *Acc* —5F **23**
Westminster Clo. *Dar* —2D **26**
Westminster Rd. *Dar* —2C **26**
Westmorland St. *Burn* —5J **9**
Westmorland St. *Nels* —1D **6**
West Pk. Rd. *B'brn* —6F **13**
West St. *Burn* —2D **10**
West St. *Col* —4H **5**
West St. *Gt Har* —3H **15**
West St. *Nels* —7A **4**
West St. *Pad* —2A **8**
West St. *Ross* —5A **30**
West Vw. *B'brn* —1E **18**
West Vw. *Clith* —6D **2**
West Vw. *Has* —1B **28**
West Vw. *Helm* —6A **28**
West Vw. *Osw* —4K **21**
West Vw. *Stac* —6D **30**
West Vw. Waterf —4B **30**
(off Pleasant Vw.)
W. View Pl. *B'brn* —6E **12**
W. View Rd. *Ross* —1B **30**
(in two parts)
W. View Ter. *Pad* —3B **8**
Westway. *Burn* —4J **9**
Westwell St. *Dar* —1C **26**
Westwell St. *Gt Har* —2H **15**
Westwood Av. *Rish* —6F **15**
Westwood Ct. *B'brn* —6K **13**
Westwood Rd. *B'brn* —4A **20**
Westwood Rd. *Burn* —2H **9**
Westwood St. *Acc* —1C **22**
Whalley Banks. *B'brn* —1G **19**
Whalley Banks Trad. Est. *B'brn*
—1G **19**
Whalley Cres. *Dar* —4F **27**
Whalley Dri. *Ross* —1G **29**
Whalley New Rd. *B'brn & Rams*
—1H **13**
Whalley Old Rd. *B'brn* —6J **13**
Whalley Range. *B'brn* —6H **13**
Whalley Rd. *Clay M & Acc* —6B **16**

Whalley Rd. *Clith* —7D **2**
Whalley Rd. *Read & S'stne* —1A **8**
Whalley Rd. *Wilp* —4B **14**
Whalley St. *B'brn* —6H **13**
Whalley St. *Burn* —1B **10**
Whalley St. *Clith* —5D **2**
Whalley Ter. *Live* —7E **18**
Wham Brook Clo. *Osw* —3G **21**
Wharfedale Av. *Burn* —5C **6**
Wharfedale Clo. *B'brn* —6A **18**
Wharf St. *B'brn* —7J **13**
Wharf St. *Rish* —6H **15**
Wheatfield St. *Rish* —5G **15**
Wheatholme St. *Ross* —3H **29**
Wheatley Clo. *Burn* —3J **9**
Wheatley La. Rd. *Barfd* —5A **4**
Wheat St. *Acc* —2B **22**
Wheat St. *Pad* —3C **8**
Whewell Row. *Osw* —3H **21**
Whinberry Av. *Ross* —4G **29**
Whinberry Vw. *Ross* —3H **29**
Whinfield Pl. *B'brn* —6D **12**
Whinfield St. *Clay M* —6B **16**
Whinney Hill Rd. *Acc & Hun l*
—6B **16**
Whinney La. *Mel & B'brn* —2D **12**
Whipp Av. *Clith* —6D **2**
Whitaker St. *Acc* —1C **22**
Whitby Dri. *B'brn* —4J **19**
White Acre Rd. *Acc* —6G **23**
White Ash Est. *Osw* —4H **21**
White Ash La. *Osw* —5J **21**
Whitebirk Dri. *B'brn* —7A **14**
Whitebirk Ind. Est. *B'brn* —6B **14**
(in two parts)
Whitebirk Rd. *B'brn* —2C **20**
White Bull St. Burn —4H **9**
(off Keith St.)
Whitecroft Av. *Has* —3B **28**
Whitecroft Clo. *Has* —3B **28**
Whitecroft La. *Mel* —2B **12**
Whitecroft Meadows. *Has* —3B **28**
White Cft. Rd. *Acc* —7G **21**
Whitecroft Vw. *Acc* —6F **23**
Whitefield St. *Hap* —6B **8**
Whitefield Ter. Burn —6C **10**
(off Somerset St.)
Whitegate Clo. *Pad* —3D **8**
Whitegate Gdns. *Pad* —3D **8**
White Gro. *Col* —2F **5**
Whitehall Rd. *B'brn* —5E **12**
Whitehall Rd. *Dar* —7F **27**
Whitehall St. *Nels* —1G **7**
Whitehaven Clo. *B'brn* —4K **19**
Whitehaven St. *Burn* —5J **9**
Whitehead St. *B'brn* —7F **13**
Whitehead St. *Ross* —2G **29**
Whitehough Pl. *Nels* —7E **4**
White Lee Av. *Traw* —6K **5**
Whiteley Av. *B'brn* —4D **18**
Whiteley St. *Has* —4C **28**
Whitendale Cres. *B'brn* —2J **19**
White Rd. *B'brn* —6E **12**
White St. *Burn* —4G **9**
White St. *Col* —5E **4**
Whitewalls Clo. *Col* —5D **4**
White Walls Dri. *Col* —5D **4**
Whitewalls Ind. Est. *Col* —5C **4**
Whitewell Dri. *Clith* —6C **2**
Whitewell Pl. B'brn —6J **13**
(off Ribble St.)
Whitewell Rd. *Acc* —7E **16**
Whitewell Va. Ross —3B **30**
(off Burnley Rd.)
Whittaker Clo. *Burn* —2G **9**
Whittaker St. *B'brn* —7F **13**
Whittam Ct. Wors —4J **11**
(off Showfield)
Whittam St. *Burn* —5A **10**
Whittle Clo. *Clith* —4F **3**
Whittles St. *Bacup* —5K **31**
Whittle St. *Has* —3A **28**
Whittle St. *Raw* —2G **29**
Whittycroft Av. *Barfd* —2B **4**
Whittycroft Dri. *Barfd* —2B **4**
Wicken Gro. *Ross* —4G **25**
Wickliffe St. *Nels* —7B **4**
Wickworth St. *Nels* —2G **7**
Widow Hill Ct. *Burn* —1E **10**
Widow Hill Rd. *Burn* —1D **10**